地方史研究協議会＝編

Series＝地方史はおもしろい02

日本の歴史を原点から探る

――地域資料との出会い

JN097502

文学通信

◉目次

第2部　資料を読み込むのはおもしろい

第3部　歴史を再発見するのはおもしろい

第4部　教材として役立つ地域資料

※本書では引用に際して、原文を損なわない範囲で表記を変更、振り仮名および句読点、清濁を整えた。

地域資料と出会うために――本書の歩き方

地方史研究協議会　会長　廣瀬良弘

本書「日本の歴史を原点から探る―地域資料との出会い―」は、地方史研究協議会のシリーズ『地方史はおもしろい』の第二冊となります。当会は本年二〇二〇年に七〇周年を迎え、それにあわせ、このシリーズ本の企画がスタートしております。四月に第一冊を刊行し、お陰様で好評にて多くの読者の皆様に支えられて、早くも第二冊を刊行する運びとなりました。

第二冊では、地域資料に出会い、現在も大いに活躍されている一九名の執筆陣が健筆をふるいました。読者の皆様には、地域資料を読み解き、考え抜くことでみえてくる歴史的な視点を手に入れていくおもしろさを味わっていただきたいと考えます。では各論考の要所を示しておきます。

1　**「八瀬童子《やせどうじ》のひみつ―天皇側近の里人―」（宇野日出生）**は、氏が京都で勤務をした中で出会った驚くべき数々の出来事や資料の中から、天皇皇后の大喪《たいそう》・大礼《たいれい》に従事した八瀬童子の役割を新史料に基づいて考察します。重要文化財に指定された「八瀬童子会文書」から現在も続く皇室とのつながりについて、とくに明治～昭和期にかけての特権について述べています。

2　**「阿波藍《あわあい》起源論の今」（福家清司）**は、阿波藍の歴史がどのように始まったのか、根拠になった史資料を丹念に読み解きました。栽培の起源となる時期を史料に基づき考察し、当時から特産品として位置づけられていたことを指摘します。また、吉野川流域の主産地は畿内経済圏との関係の中で栽培・加工・移出が行われたという重要な指摘もしています。

3　**「「凌雲閣《りょううんかく》（浅草十二階）」の煉瓦《れんが》―煉瓦を考古学からみる―」（斉藤　進）**は、浅草十二階と親しまれ、浅草のランドマークであった凌雲閣に使われた建築素材の煉瓦に着目します。基礎から十階までの四〇m余りを三三〇万個の赤煉瓦を使用した凌雲閣は、関東大震災で壊れて撤去されますが、土中の基礎は現在まで残ります。その煉瓦に残る製作技法の痕跡を考古学からみます。

4　**「東京近郊のレンガ産業を探る―地域資料発見の楽しさ―」（斉藤照徳）**は、明治時代に東京近郊、隅田川流域周辺でつくられた資材としてのレンガの歴史について、地域に残された資料をもとに職場での経験を紹介します。レンガ塀の刻印を区民と探して発見した体験など身近なところにある隠れた資料を探し出すよろこび・楽しさが地域資料にはあり、その体験を勧めます。

5　**「町の中の「御嶽山《おんたけさん》」―神社に関連する資料を中心に―」（乾　賢太郎）**は、大田区北嶺町《きたみねまち》に鎮座する御嶽神社に受け継がれてきた資料を読み解き、地域の神社と人びととの結びつきを浮かび上がらせます。村内にあった一小祠が木曽御嶽山の関東第一分社となるまでの経緯、神社の運営を支えた嶺一山講《みねいっさんこう》やこれに属した先達や講元の存在について、豊かな資料群から紐解きます。

6 「お上の絵図と地面の下から宿場を探る―絵画資料と発掘成果からみる東海道品川宿―」（寺門雄一）は、近世の品川宿について石積護岸に注目し、埋蔵文化財調査の成果と絵図を巧みに組み立て直しています。現在残っている部分の発掘調査から明らかになったこと、江戸幕府が行った街道とその周辺の絵図のなかから食い違う資史料の読み取りを行い、考え抜く歴史学の醍醐味を示しています。

7 「大木戸《おおきど》はあったのか―地域の歴史を読み直す―」（中村陽平）は、大正十三年（一九二四）刊行の『板橋町誌』以来、指摘されてきた中山道板橋宿《なかせんどういたばししゅく》にも高輪《たかなわ》や四谷《よつや》のような大木戸が存在したことについて、幕令や絵図などの資史料から確認できず、恒常的な大木戸は存在しなかったとします。和宮《かずのみや》下向時の木戸・番所の設置などの幕末期の情勢から、大木戸の正体を探っていきます。

8 「地域を再認識する地誌の編さん―都城島津家の人々と「庄内地理志」―」（山下真一）は、鹿児島藩島津《しまづ》家家臣の都城《みやこのじょう》島津家が編さんした「庄内地理志《しょうないちりし》」の調査過程をみていきます。編さん開始時期の調査状況がわかる日誌から、特に現地調査は、地域住民の協力を得ながら進められ、それは、彼らにとって地元の地理や歴史を再認識することになったのではないかと指摘します。

9 「庄内・薩摩交流の始まり―明治初年、東京における庄内士族の情報収集―」（今野　章）では、庄内士族らが薩摩出身の政府高官にどのように接近していき、良好な関係を築いていったのか、薩摩との交流を具体的に明らかにしました。山形県庄内地方は、地域全体として西郷隆盛《さいごうたかもり》に対する思慕が強い土地柄で、それは今日まで受け継がれています。

10「地方文書《じかたもんじょ》からひもとく安政のコレラ」（宮間純一）は、約一六〇年前に流行したコレラに、人々がどのように対処したのか、房総地域の文書から読み解きます。情報が飛び交うさま、幕府の指示が村々へ伝えられ、治療法が示されたことを紹介し、病に立ち向かうときに神仏に祈願したことにも触れます。感染症史の資料は各地に眠っていると思われ、注目される分野でしょう。

11「武家の格式と威信材《いしんざい》―関東公方葛西様と葛西城―」（谷口　榮）では、武家社会のステイタスシンボルとしての高級陶磁器を取り上げます。葛西《かさい》城本丸の遺構からも出土したものの、当時、小規模な城と理解されていたイメージにはそぐわない遺物でした。文献研究の進展によって、関東公方の足利義氏《あしかがよしうじ》の御座所《ござしょ》であったことが判明し、葛西城の位置づけが考古資料と一致します。

12「逆転した鮫ヶ尾《さめがお》城の大手と搦手《からめて》―定説を覆した高田藩士の日記―」（佐藤　慎）は、新たな文献が発見されたことで定説化していた事実が覆った事例を取り上げます。越後《えちご》国頸城《くびき》郡に築城された国境警固のための拠点のひとつの鮫ヶ尾城の大手がどこかを問う半世紀以上に及ぶ議論は、大規模な縄張調査でも確定できず、高田藩のある藩士の日記の出現が議論に決着をつけます。

13「真宗末寺のしたたかさ―能登乗念寺直参への軌跡―」（石田文一）は、浄土真宗本願寺派に属する乗念寺という寺院が所蔵する文書を題材にしています。地元の研究会で調査整理を行い古文書の目録が刊行され、その成果をもとに近世の動静について述べます。本願寺教団内での本山・

末寺関係の解消、加賀藩の触頭《ふれがしら》・触下《ふれした》制度からの脱却過程を解いています。

14「鎌倉大筒稽古場内の新田試作問題—「御鉄炮御場所」から読み解く—」（桑原功一）は、現在も地元で語り継がれる幕府大筒役《おおづつやく》を務め、幕府最大の鎌倉大筒稽古場の管理を担った佐《さ》々《さ》木《き》卯《う》之助《のすけ》がおこなった新田試作（開発）について考えたものです。なぜ、幕府や代官の介入を受けずに地元耕作者が開発を長期間行えたのか、史料の文言に注目し構造的に読み解きます。

15「焼け跡に手を差しのべた人々の記録—地域に残る戦後社会事業団体資料の価値—」（西村健）は、戦争孤児などの保護を行った児童養護施設、ボーイズホームの資料を取り上げています。筆者が戦後横浜の戦争被害者救済をテーマとする展示を企画し出会った資料で、敗戦直後の孤児たちの境遇と心境を知ることができる貴重な資料です。戦後、社会的弱者に手を差しのべた地域の団体の歴史は、この事例同様に掘り起こされ、保存されるべきと述べます。

16「『常陸国《ひたちのくに》風《ふ》土《ど》記《き》』の魅力—茨城の古代史はおもしろい—」（久信田喜一）では、五カ国にしか残されていない風土記のひとつ『常陸国風土記』のおもしろさを伝えます。様々な状況から編纂時期が絞れることや、唯一の伝来の彰考館《しょうこうかん》本と諸写本についても触れます。輔時臥《ふじふし》の山にまつわる説話など、『常陸国風土記』を読む楽しさを読者に伝える三つの記事を紹介します。

17「寺に駆け込むということ—上州館林藩にみる入寺と寺訴訟—」（佐藤孝之）は、近世社会における入寺《にゅうじ》（寺への駆け込み行為）と寺《てら》訴《そ》訟《しょう》（寺院による訴願活動）の検討を行います。領主側の規制にもかかわらず実行されたのは、それを前提とした社会の仕組みが存在したのです。寺院を介した領主（権力）と地域住民（民衆）の関係から、地域社会の一側面を明らかにします。

18「**壬申地券**《じんしんちけん》**からみる地租改正**」（**牛米　努**）は、地租改正の前段階の明治五年（一八七二）に発行された壬申地券は、二種類の目的の違った地券が大蔵省の近代化政策の一環で発行され、日本の租税の近代化の上では、漸進的かつ長期的なものでした。改正地券とは違い、ほとんど知られていない史料ですが、地域史料として認識すると地方史研究の広がりの可能性があります。

19「**地域資料が歴史教育を今につなぐ―中学・高校・大学・市民講座と地域資料―**」（**藤野　敦**）は、教育現場で地域資料が学習者にいかに過去の社会への関心をはかるか、空間を共有し、自分と歴史との関係性を考察できた事例を示します。中学での地域史のレポート学習、高校での地方史料を活用する学習、大学生のフィールドワーク、市民講座での地域資料を当時の人々と自分の経験を重ねて理解する試みを紹介し、学習者の感想から地域資料の役割を論じます。

歴史を学ぶ真髄は、資史料が教えてくれること、わかることを確認していくことであり、そうした作業を研究者は常に行っていることは本書をお読みになればわかると思います。各地に残された地域の資史料を身近に感じていただければ、日本の歴史を原点から探求することに繋がります。本書をきっかけに、読者の皆様も地域資料に出会う旅に一歩踏み出してみてください。

第１部　伝統文化を読み解くのはおもしろい

1

今なお皇室とつながる特殊な集落

八《や》瀬《せ》童《どう》子《じ》のひみつ

――天皇側近の里人――

宇野日出生

対象地域
京都

1、はじめに

かれこれ四〇年近く、京都で歴史の仕事をしてきたが、その間、実にいろいろな驚きを体験してきた。このたび紹介する八瀬童子については、その驚きの筆頭に位置づけられる。京都にはもっと名の知れた有名な事柄があるのでは、と思われる方も多いかもしれないが、実はこの八瀬童子、とんでもない人びとなのである。どれほどの「トンデモびと」なのかを、これから説明したいと思う。

2、八瀬童子とは何か

京都市左京区に八瀬という集落があり、そこに昔から生活を営んできた人びとを「八瀬童子」と呼ぶ。なお童子とは、子供のことではない（たまに「痩《や》せた子供」のことではないですよね、と聞かれることもあるが……）。そもそも童子とは、寺院衆徒のもとにおいて、実務労働する者たちのことをいう。また八瀬という地名由来については、天武《てんむ》天皇（大海人皇子《おおあまのみこ》）が壬申《じんしん》の乱（六七二年）の時に、この地において背中に矢が刺さり（矢背）、傷を負ったことにちなむ、というまことしやかな伝承があるが、これは嘘である。実際のところは、当地域を貫流する高野川が随所で急瀬や岩瀬を形成しており、現在も七瀬《ななせ》・余瀬《よせ》・美濃瀬《みのせ》といった瀬の付く字名《あざめい》が残っている。八とは数の多さも意味しており、つまり八瀬の由来とは、多くの瀬が集落内にあったことによるものであろう。

八瀬は古代においては、愛宕《おたぎ》郡小野郷に属し（『和名類聚抄《わみょうるいじゅしょう》』）、寛仁《かんにん》二年（一〇一八）には、延暦寺《えんりゃくじ》領で租税や所役を負担していたことがわかっている（『類聚符宣抄《るいじゅふせんしょう》』）。寛治《かんじ》六年（一〇九二）には、延暦寺青蓮坊《しょうれんぼう》の管理下にあり、僧侶たちの往来時に貢献して、雑役免除を認められているし、また宮座《みやざ》の形成された集落だったこともわかっている（「青蓮院吉水蔵菩薩釈義紙背文書《しょうれんいんきっすいぞうぼさつしゃくぎしはいもんじょ》」）。八瀬村は比叡山《ひえいざん》延暦寺へ最短で行ける、都から最も近い出入口の、しかも自治の発達した集落だった。延暦寺という権門の眼下にあって、特権が与えられた特殊な集落の者たちが、八瀬童子だったのである。

国の重要文化財に指定されている「八瀬童子会文書」（六五〇点）中には、八瀬童子への諸役免除に関する後醍醐《ごだいご》天皇から明治天皇までの綸旨《りんじ》がある。この諸役免除の特権は、室町政権・信長政権・秀吉政権・徳川政権にも継承され、さらに驚愕《きょうがく》すべきは、明治政府にも認められたという

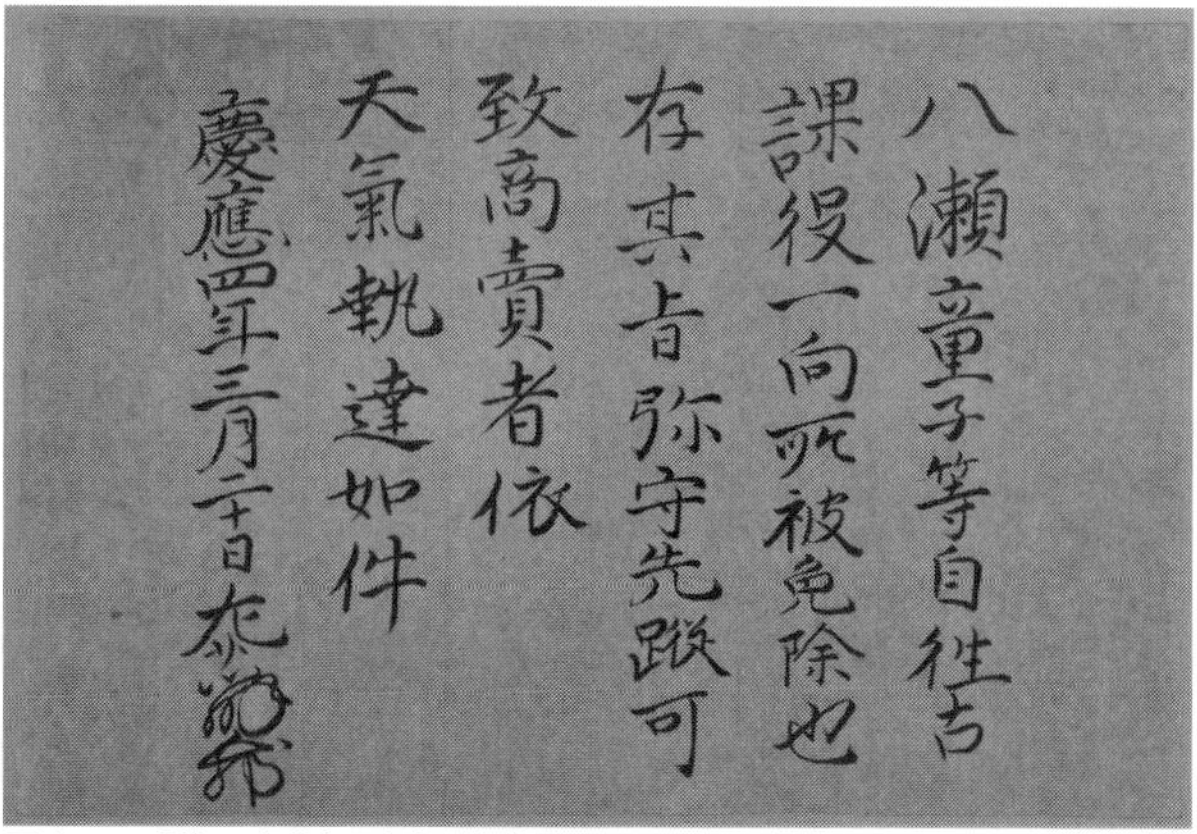
八瀬童子等自往古
課役一向所被免除也
存其旨弥守先蹤可
致商賣者依
天氣執達如件
慶應四年三月二十日

写真１　明治天皇綸旨（重要文化財、八瀬童子会蔵）

史実を記した古文書が、一括して見ることができるのである（本稿の大半は、注記がない限り「八瀬童子会文書」に依拠している）。ちなみに、慶応四年（一八六八）三月付の明治天皇綸旨（【写真1】）には、次のように記されている。

八瀬童子等、自往古
（やせどうじなど、おうこより）
課役一向所被免除也、
（かやく、ひとむきに、めんじょ、せらるところなり、）
存其旨弥守先蹤、可
（そのむねをぞんじ、いよいよ、せんじゅうをまもり、）
致商売者、依
（しょうばい、いたすべし、てえれば、）
天気執達如件、
（てんきによって、しったつ、くだんのごとし、）

（万里小路長邦）（までのこうじ ながくに）
慶応四年三月二十日　左少弁（花押）（さしょうべん かおう）

明治天皇綸旨の存在自体も珍しいが、この綸旨に書かれている内容は、実は後醍醐天皇綸旨以来、踏襲されているのである。江戸時代以降、八瀬童子の諸役免除については、天皇や京都所司代が変わるたびに綸旨や所司代下知状《げちじょう》が発給されている。一農民階層に対する特権としては、極めて稀なことである。しかもその特権は、明治時代になっても引き継がれ、何と租税の免除については、太平洋戦争終結まで続いた。八瀬村周辺の集落からは、常に羨望《せんぼう》や嫉妬《しっと》で見られ、したがって彼らの生活圏は、終始村落内で完結するようになった。つまり婚姻も集落内で行われたため、現在でもほとんどの家々が親戚関係となっている。

3、天皇の側近衆として

八瀬童子の前近代史については、多くの史料から解説する必要があるのだが、紙面の都合にて、前節程度でもって省略することをお許し願いたい。

明治時代以降の近代国家形成過程にあっては、八瀬童子は実にしたたかに振る舞っている。その

写真2　御板輿写真（重要文化財、八瀬童子会蔵）

最大の成果が、租税の免除である。一口に免除といっても、からくりがあった。実は政府から相当金額が振り込まれ、それを京都府に納めるといった、実質上の免除だった。こんな手法を誰が考えたのだろうか。それについては、「八瀬童子会文書」に記されているとおり、八瀬童子と交流の深かった岩倉具視《いわくらともみ》、その配下の香川敬三《かがわけいぞう》が尽力したことがわかっている。さらに当時の宮内卿徳大寺《とくだいじ》実則《さねつね》や参議伊藤博文《いとうひろぶみ》にも相談した結果だったことが見え隠れする。

八瀬童子への恩典は、これだけではなかった。それは皇居に輿丁《よちょう》として出仕することだった。つまり宮内省職員として採用され、日常における天皇の輿《こし》を担ぐという大役を仰せつかったのである。その日頃の活躍の様子については、昭和十四年（一九三九）撮影の「御板輿《おんいたごし》写真」（【写真2】）から、ある程度は状況を想像することができよう。輿丁とは、正式には宮内省《くないしょう》仕人《つこうど》兼《けん》輿丁《よちょう》と呼ばれ、天皇側近衆として、輿を担ぐなどの雑務を公務とする役職だった。皇居詰めの輿丁は全一六名で、二三歳から四五歳の者に限られ、担力・脚力・学力・品行方正といった厳しい条件が課せられていた。

　そしてさらに注目すべきことがあった。それは大喪《たいそう》（天皇・三后の葬儀）及び大礼《たいれい》（天皇即位の儀式）における輿丁奉仕だった。主たる任務は、大喪では葱花輦《そうかれん》を、大礼では鳳輦《ほうれん》（実際は葱花輦）を担ぐという大役だった。もっとも人数も一〇〇名程が必要なため、八瀬村からも急遽《きゅうきょ》馳《は》せ参じることになる。

4、大喪大礼の奉仕がもたらしたもの

　この両国家儀式において、最も目立つ公務を成し遂げた八瀬童子が目立たぬわけがない。実は戦前まで、八瀬童子の名前は全国に知れわたっていた。有名になるのは、明治天皇大喪奉仕からであるが、大喪輿丁の奉仕そのものについては、幕末の頃より確認できる。安政三年（一八五六）七月の新待賢門院《しんたいけんもんいん》（孝明《こうめい》天皇生母）の葬儀には五五名が、以降は明治十四年（一八八一）十月の桂宮《かつらのみや》淑子《すみこ》内親王、同二十四年（一八九一）十一月の久邇宮《くにのみや》朝彦《あさひこ》親王、同三十年（一八九七）一月の英照《えいしょう》皇太后、同四十二年（一九〇九）十二月の賀陽宮《かやのみや》邦憲王《くにのりおう》まで、約六〇～七〇名の八瀬童子が輿丁を

写真３　明治天皇大喪奉舁参観図写真（重要文化財、八瀬童子会蔵）

務めている。そしていよいよ明治四十五年（一九一二）九月の明治天皇大喪輿丁の順となる（【写真３】）。

一口に輿丁奉仕というが、これはもう大変な労力を要するものだったが、すごく名誉なことだったし、国からの謝礼も多かった。当然われもわれもと、自薦他薦も入り混ざって、ものすごいことになっていたといわれている。特に陸海軍からの要望が強かったという。それでは、八瀬童子がそんなにすごい人びとだったのか、ということについて改めて考えてみたい。

ここからは確たる史料に基づいて、あれこれと想像することになるのだが……。まず八瀬童子は、先述のごとく岩倉具視らとよしみを通じていた。岩倉はもちろん京都の出身だが、不遇の時代から八瀬童子と関わりを有していた。時代が明治となり、天皇家の宗旨が仏教から神道に変更すると、ここにさまざまな宗教文化の大転換を強いることとなる。そのなかの一つに、輿丁の存在があったと私は捉えている。実は江戸時代までの輿丁には、寺院勢力に付随する力者《りきしゃ》といわれた従者たちが活躍したが、明治以降、彼らの大半は失職する。新しい国家制度を構築する過程で、旧勢力を駆逐《くちく》していくという流れのなか、八瀬童子は脚光を浴びることになったのだろう。ただし八瀬童子は、平安時代から権門とのかかわり、後醍醐天皇以来の特別な特権をもつ者たちである。単なる農業民ではない。由緒と人脈と時代の大転換が、うまくリンクした結果とみなすべきだろう。

　では実際のところ、八瀬童子のみに輿丁が限定していたのだろうか。また具体的に大喪や大礼に関する史料は、八瀬以外に残されているのだろうか。これについて管見の限りでは、宮内庁の宮内公文書館と国立公文書館に、それぞれ関係史料が残されていることがわかった。ただし宮内公文書館の史料調査には、かなりの手間を要することを申し添えたい。そこで、両館において調査したなかから特徴的なことを紹介しておきたい。

　まず驚いたことは、先述の英照皇太后大喪の時、明治三十年一月十七日付宮内省主殿寮《とのものりょう》発の電報文面に、次のようにある（『主殿寮京都出張所　明治三十年　同三十一年　大喪録』宮内公文書館三八九〇）。（全文カナ書きにつき漢字を施す）

八瀬村ニテ、輿丁ニ差支無キ者六十八人、至急選定アレ、八瀬村ニテ不足スレバ、近村ニテ募

集スルモ差支無シ、下宮モ明日一番ニテ出張ス、委細郵便、

この電報は、宮内省主殿助小笠原武英《おがさわらたけひで》から主殿寮京都出張所に出されたものである。これによると、八瀬童子による輿丁数が不足した場合は、近村へ募集しても良いというものだった。結果は八瀬童子七四名が供奉《ぐぶ》することになったのだが（同『大喪録』）、八瀬童子以外の輿丁が多少混ざっても許されるという宮内省の内部史料だけに、大変貴重なものといえる。

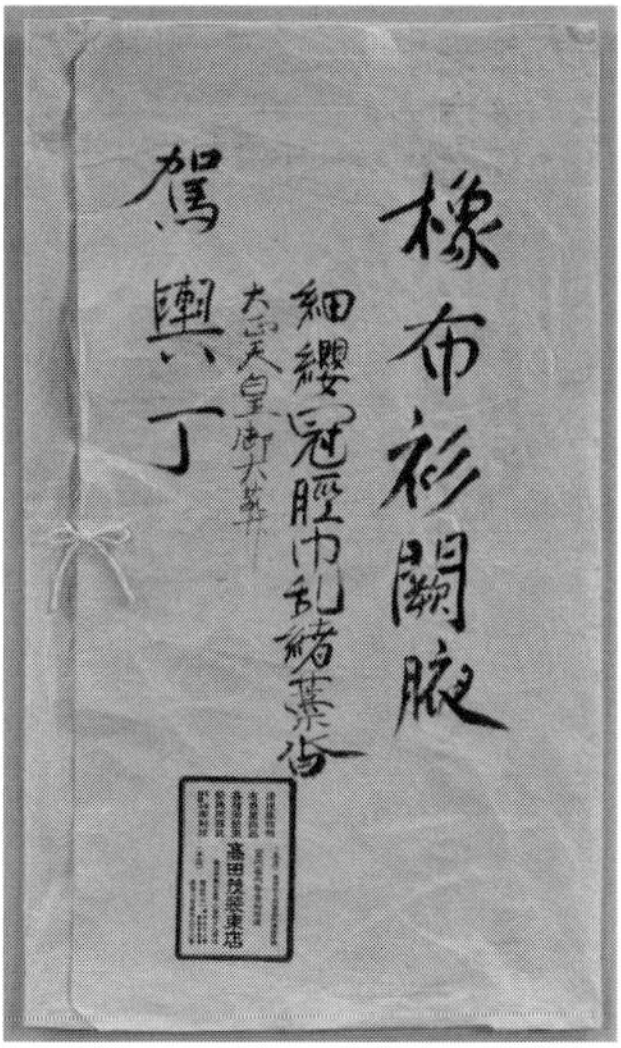

写真４　大正天皇大喪装束畳紙（八瀬童子会蔵）

ところが一五年後の明治天皇大喪以降、大喪・大礼の輿丁は全員八瀬童子に限定されるようになる。皇室の式典が、細部にまで確立していったものと考えられる。ちなみに昭和二年（一九二七）一月の大正天皇大喪時の記録（『大喪録』第二八冊、宮内公文書館 七四六二八）を見てみよう。輿丁を務める八瀬童子の装束についてであるが、任務を果たす日から逆算すると、発注から納期まで約一五日間しかなかったことが知られる。納品業者は装束という特殊性から、高田装束店（【写真

写真５　貞明皇后形見（個人蔵）

[4]）と高島屋呉服店（現在の高島屋）が選定された。真冬であったことから、重責を担う輿丁の冠《かんむり》には、防水加工まで施されていた。

大正天皇大喪と、続けて行われた昭和天皇大礼の装束一式は、八瀬にしっかりと残されていたため、「装束類九一点」は先述の「古文書六五〇点」とともに、平成二十二年（二〇一〇）「八瀬童子関係資料」の名称にて、重要文化財に指定された。装束・古文書とともに、傷みのあるものは文化財保存修理所（京都国立博物館敷地内）にて、今も修復作業が進められ、資料は全て京都市歴史資料館に寄託されている。

さて終戦を迎えると、八瀬童子には税の優遇も輿丁としての名誉も全てなくなった。しかし昭和天皇大喪では、宮内庁侍従とともに天皇の霊柩《れいきゅう》に手を添えるという大役を果たしている。また戦前戦後にかけて、八瀬童子の女性は宮中女官として採用されており、貞明《ていめい》皇后に仕えた者の自宅床の間には、今も皇后の形見が大切に飾られている（【写真5】）。現在、天皇皇后、上皇上皇后が京都に来られると、八瀬童子の上役たちは必ず出迎えと見送りに、御所《ごしょ》へと出仕する。特に上皇上皇后とは天皇皇后時代より旧知の間柄である。今も八瀬童子は皇室と深いつながりを有している。

5、おわりに

八瀬童子たちにとって天皇との距離は、明治以降、最も近い位置に存在した。また類例を見ない究極の特権は、前近代をはるかに凌駕するものだった。そして今もなお、皇室とのつながりを強く持ち続ける一般庶民が、はたして他にいるだろうか。八瀬童子、千年の歴史は、現代社会に生きるわれわれに、日本人の歩みとは何かを、いろいろと語りかけてくれるのである。

参考文献
・猪瀬直樹『ミカドの肖像』（小学館、一九八六年）、『天皇の影法師』（新潮社、一九八六年、初出は朝日新聞社、一九八三年）
・池田昭『天皇制と八瀬童子』（東方出版、一九九一年）

・宇野日出生『八瀬童子会文書』叢書京都の史料４（京都市歴史資料館、二〇〇〇年）
・宇野日出生「八瀬の年中行事」（『京都市歴史資料館紀要』第一七号、二〇〇〇年）
・宇野日出生「八瀬童子の明治以降」（『京都市政史編さん通信』第一六号、二〇〇三年）
・宇野日出生『八瀬童子 歴史と文化』（思文閣出版、二〇〇七年）
・宇野日出生「八瀬童子―天皇と里人―」「八瀬の年間行事」（『八瀬童子―天皇と里人―』京都府京都文化博物館、二〇一二年）
・宇野日出生「八瀬と八瀬童子」（『地方史研究』第四〇一号、二〇一九年）

2
阿波藍《あわあい》起源論の今
特産品の起源をどう探すか

福家清司

1、阿波藍とは

幕末の江戸日本橋通油《とおりあぶら》町（現東京都中央区日本橋大伝馬《おおでんま》町）で発行された「諸国産物鑑《しょこくさんぶつかがみ》　初編」（国文学研究資料館所蔵）には、西の大関として「阿波　藍玉《あいだま》」があげられている。阿波は現在の徳島県、藍玉は農作物の藍の葉を加工して製造した染色材料のことである（【写真1】）。

阿波の藍は、阿波北部の吉野川《よしのがわ》流域が主産地であった。この地域で栽培された藍は、玉師《たまし》（藍師）によって葉藍から蒅《すくも》に加工され、最終的に砂を混入して臼《うす》で搗《つ》き固められて藍玉に仕上げられた。これが阿波の藍玉である。

阿波の藍玉は俵詰《たわらづ》めにされて藍商によって諸国の紺屋《こうや》などに出荷された。阿波国を藩領とした徳島藩は畑作地帯の主要作物として、藍作を奨励するとともに、その販売についても藩財政安定のために保護政策をとった。このようにして江戸時代中期頃には全国的に知られるようになった

写真１　藍玉（重見高博氏撮影・提供）

阿波の藍玉であったが、明治三十年代をピークとして、安価なインド藍やドイツからの人造《じんぞう》藍の大量輸入によって急速に衰退していった。

この阿波藍の衰退が誰の目にも明らかになった時期に一つの動きがあった。明治四十一年（一九〇八）に阿波藍製造販売同業組合の事業として取り組まれた『阿波藍沿革史』編纂《へんさん》事業がそれである。この事業は大部《たいぶ》の稿本《こうほん》の完成を以て事業を終えたようであるが、この事業の趣旨は、その後、阿波藍最初の専門書とされる西野嘉右衛門《にしのかえもん》編『阿波藍沿革史』の編纂刊行へと引き継がれて結実した。

このような阿波藍の歴史編纂事業は、阿波藍創業から明治期に至るまでの歴史を記録することにより、輝かしい歴史を追体験し、当事者として誇りを取り戻し、地域の社会、経済の再生につなげたいとする関係者の強い思いを受けて立ち上げられたものと思われる。

ところで、阿波藍関係者の強い思いが込められた右の二冊の『阿波藍沿革史』を繙《ひもと》くと、まず気づくことがある。それは、第一章の標題《ひょうだい》として前者に「阿波藍ノ創業」、後者に「創始時代の梗《こう》概《がい》」とみえ、ともに阿波藍の起源に関して章を設けた上で、可能な限りの史資料を引用し、その考察に多くの紙幅《しふく》を割《さ》いていることである。

このことは明治末期から昭和初期にかけての阿波藍関係者にとって、阿波藍の歴史がどのように始まったのかという点が大きな関心の的となっていたことを示している。そしてこのような編纂スタイルは、その後に刊行された阿波藍に関する書籍にも受け継がれた結果、阿波藍の起源をめぐる豊かな論議が展開される契機ともなったと考えられる。

この小文ではそうした阿波藍起源論を、根拠とされた史資料に焦点をあてながら読み解くことにしたい。

2、阿波藍起源論の変遷

阿波藍の起源をめぐる論議の中で最も時期的に早いものは、文化十二年（一八一五）編纂の藩撰《はんせん》地誌《ちし》『阿波志』（佐野：一九七六）で、麻植《おえ》郡（現吉野川市）土産《どさん》の項に「蓼藍《たであい》　国初播磨飾磨《はりましかま》より移し之《これ》を呉島《くれしま》に植う」とある。これは、阿波藍は藩主蜂須賀《はちすか》家が阿波入国当初に、旧領の播磨《はりま》龍《たつ》野《の》（現兵庫県たつの市）に近い飾磨《しかま》（現姫路《ひめじ》市）から蓼藍《たであい》の種子を取り寄せて、呉島《くれしま》（現吉野川市川島町）に植えたのが始まりであるとする説を、徳島藩の公式見解として採用していたことを示すものであろう。この説は一般には「播磨藍移植《いしょく》説」と呼ばれて、ほぼ明治大正の頃は通説とされていた。その後、前掲の『阿波藍沿革史』が刊行されると、阿波ではすでに平安時代から藍の栽培が行われていたものの、蜂須賀《はちすか》家が入国した時には衰退してしまっていたので、徳島藩による殖産興業策《しょくさんこうぎょうさく》の一環として播磨から藍の良質な品種を導入したとする、いわば「阿波藍蜂須賀家再興《さいこう》説」とでもいい得るような説が唱《とな》えられた。この阿波藍発展に対する蜂須賀家の多大の貢献という見方《みかた》は、その後も根強く信じられ、今日においても一部に継承されているところであるが、昭和四十年（一九六五）代以降については、阿波藍は中世段階から広く栽培が行われていたとする説（後藤：一九六五）がほぼ通説とされて、現在に至っている。

３、「阿波藍中世起源説」とその史資料

「阿波藍中世起源説」を最初に提唱したのは、染色研究家の後藤捷一《しょういち》氏であった。後藤氏がこの説の根拠としたのは、『みよしき』（後掲）の記事に、天文十年（一五四二）に上方《かみがた》（京都）から阿波に「あをや四郎兵衛」が来住し、藍染めを伝えたとみえることと、蜂須賀家が阿波に入った天正十三年（一五八五）の翌年に「紺屋司《こうやのつかさ》」を任命したこと、国中の紺屋への紺屋役《やく》課税を伝える二通の文書（呉服《ごふく》家文書）であった。このうち一点目の『みよしき』は二次史料であり、後に指摘するように事実関係にも問題が残るものであるが、二点目の文書は一次史料であり、蜂須賀家入国以前から阿波国内に広く紺屋が成立していたとする指摘には説得力がある。ただ、後藤説は阿波

写真２　『兵庫北関入船納帳』（京都市歴史資料館提供）

藍の栽培が中世以前に広く行われていたことを指摘するものの、その栽培がいつ頃から始められたかについては全く触れていない。この点について、新出史料に基づいて確実な栽培時期を示したのが今谷《いまたに》明氏であった（今谷：一九八一）。

今谷氏は新しく発見された文安二年（一四四五）『兵《ひょう》庫北関入船納帳《ごきたせきいりふねのうちょう》』（【写真2】、京都市歴史資料館所蔵、以下『入船納帳』と略記）に、阿波の港津・地下《じげ》（地元兵庫津）・淡路《あわじ》の由良《ゆら》に船籍を置く船舶が運んだ藍は全て阿波国産であるとして、次のように指摘する。

阿波の藍といえば「藍玉」で知られるように近世蜂須賀藩を潤《うるお》した特産の専売品であるが、中世に於けるその国外輸出は今まで知られておらず、ましてかくも大量に室町中期というこの時点に於いて上方へ運送されていたとは、従来のわが国染料

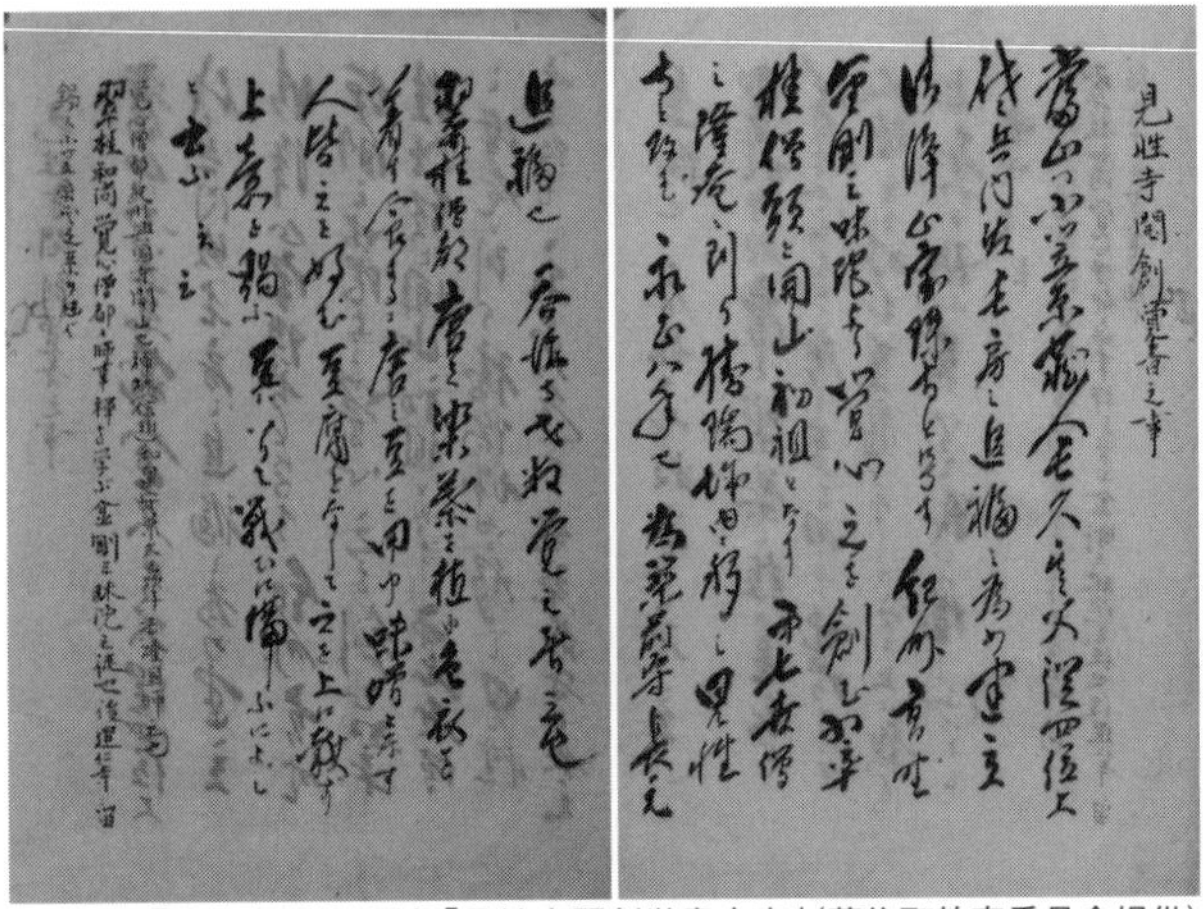

写真３　『見性寺記録』所収「見性寺開創覚書之事」（藍住町教育委員会提供）

史に於いては夢想《むそう》もされないことであった。

ここで今谷氏は、阿波藍の栽培が確実に室町時代中期にさかのぼることを明らかにするとともに、すでにこの段階で阿波藍が特産品とみなされていたことを指摘しており、注目される。

以上の後藤氏、今谷氏の研究によって「阿波藍中世起源説」が通説となったが、その後においても阿波藍の起源をめぐる論議は続き、一九九六年には三好昭一郎氏によって「阿波藍翠桂《すいけい》和尚《おしょう》起源説」とでも呼べる説が発表された（三好：一九九六）。

この説は『見性寺《けんしょうじ》記録』（見性寺所蔵）に、「翠桂僧都《そうず》、唐之染葉《からのそめば》を植ゆ、色衣《いろごろも》を着す」と記されていることが根拠とされるもので、翠桂僧都は見性寺の前身宝珠寺《ほうじゅじ》が宝治元年（一二四七）に、岩倉《いわくら》（現美馬《みま》市脇町）に創建された時、開山第一世として紀州（現和歌山県）興国寺《こうこくじ》から招かれた高僧と伝えられている。

この『見性寺記録』を示した【写真3】によると、根拠とされた記事は『記録』末尾の余白部分に別筆で書かれた「覚書」であったことが判明する。また、その作成年代は『記録』本体の年号から享保十七年（一七三二）以降のものであることが確認できる（須藤：二〇一八）。

この「翠桂和尚起源説」の根拠史料である「覚書」は、五〇〇年後の二次史料である上、史料原文には「藍」の記載がなく、当史料を藍関係史料として活用するためには別途《べっと》の論証が必要となる。また、気にかかるのは『見性寺記録』に納められた元禄七年（一六九四）の「鐘銘《しょうめい》」に「開山翠鶏(桂)禅師未詳」と、元禄の頃にはすでに開山僧の伝記が失われていたとされているにもかかわらず、後の享保以降の「覚書」に開山僧の功績として「唐之染葉」と「唐之豆《からのまめ》」請来《しょうらい》の説話を載せるのはやや不自然である。以上のことから、この「翠桂和尚起源説」についてはなお検討の余地があるといわなくてはならないようである。

4、『兵庫北関入船納帳』の藍について

次に『入船納帳』にみえる藍（【表1】）に関して、現在もなお未解決となっている問題についてとりあげておきたい。それはこの藍が果たしてどのような状態の藍であったかという問題である。

藍は刈り取った後、生葉《なまは》の状態でも染色材料として使用されるが、保存、運搬の関係で乾燥させ

表１　『兵庫北関入船納帳』にみえる藍の入関状況　（単位：石）

船籍地		1	2	3	4	5	6	7	8	9	10	11	12	計
阿波	牟屋							30						30
	土佐泊							4						4
	惣寺院			12	2									14
兵庫	地下				27	13	10	16	152	99	60		35	412
淡路	由良							23						23
計				12	29	13	10	73	152	99	60		35	483

た状態でも、また葉藍を発酵《はっこう》させて蒅《すくも》と呼ばれる染料の状態でも使用される。

これまでのところ、『入船納帳』にみえる阿波藍については、『石井町史』が文安二年（一四四五）当時、阿波で蒅が製造されたことを示す史料がみあたらないことから「乾燥葉藍」と考えられるとする。また『阿波藍史』は、阿波に蒅の製法が伝えられたのは次の『みよしき』（徳島県図書館：一九七四）の記事から、天文十年（一五四一）とみられることから、その藍は「葉藍」であったと考えられるとする。

> あをや染《そめ》と申事仕《もうすことつかまつ》り出候《いでそうろう》は、天文十年に、上方よりあをや四郎兵衛と申者罷下《まかりくだ》り、阿波国にあゐ《い》染と申事を知りたるものなく候故《ゆえ》、事外《ことのほか》に米をもうけ仕合《しあい》よく成《なり》候、四郎兵衛が子を青や太郎右衛門と申し、又一人は西條へ有付《ありつき》候

確かに、この『みよしき』には、天文十年（一五四一）以前は

「阿波国に藍染めと申すことを知りたる者はない」と記されているが、これをそのまま史実とみることができるかどうかが問題であろう。この記事に登場する「あをや」は青屋であり、藍を染色材料として布などを染める専門業者である。しかし、藍を用いて染色を行った業者としては青屋以外に「紺屋」と呼ばれる業者がいたことはよく知られているところである。

阿波においての紺屋の初見は、従来は前出の天正十四年（一五八六）の「呉服家文書」とされてきたが、現在では筆者が旧稿（福家：二〇一七）で紹介した長亨元年（一四八七）「大麻宮建立之次《おおあさぐうこんりゅうのし》第《だい》」（【写真4】、阿波国社寺文書、東京大学史料編纂所所蔵）がその初見であることが判明している。したがって、阿波では長亨元年以前から紺屋が操業していたことになり、『みよしき』の記載が必ずしも正確でないことを示している。

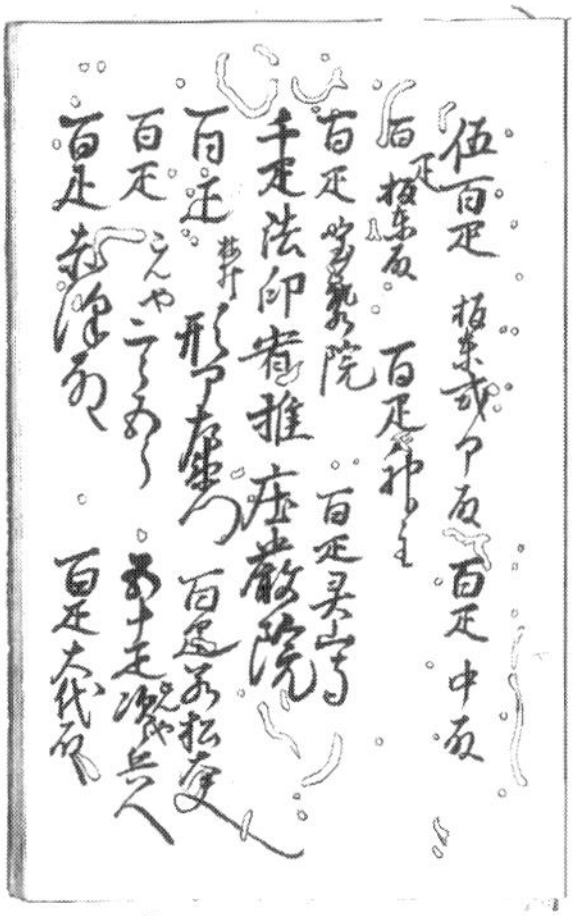
写真4　「大麻宮建立之次第」（東京大学史料編纂所蔵）

このことは一方で、藍染めの技法を考える上でも重要である。青屋と紺屋の違いについて研究史を踏まえた上で検討した下坂《しもさか》守氏によると、青屋が生葉《なまは》染めを行ったのに対し、紺屋は蒅《すくも》を使って染色を行う業者であったと指摘する（下坂：二〇〇九）。この下坂氏の指摘によると、阿波の紺屋も蒅を使用して染色を行ったことになり、その蒅《すくも》も阿波で生産されたと考えることができる。

このように考えると少なくとも長享元年（一四八七）当時、阿波国で蒅の製造とその使用が行われたことはほぼ確実とみられる。問題はその時期を文安二年（一四四五）当時までさかのぼらせることが可能かどうかということになろう。この点については前掲の旧稿で指摘したように、紺屋が史料に初めてみえる長享元年の相当以前から活動していたと推定されることから、文安二年当時、阿波でも紺屋が稼働し、蒅も製造されていたと考えることができる。

以上のことから、文安二年に阿波から運ばれた藍は単なる葉藍ではなく、さらに付加価値の高い加工品としての蒅であったと考えられ、当時の阿波藍が特産品とされた理由もこの点に求められるのではないだろうか。

5、阿波藍起源論の課題

今日、ウェブ上などでは、阿波忌部《いんべ》氏が織った荒妙《あらたえ》（麻布）を染めたことが阿波藍の始まりであるとするなど史資料の裏付けに乏《とぼ》しい阿波藍起源説も流布《るふ》する。そこでまとめとして、筆者が考える阿波藍起源説の概要を述べておきたいと思う。

まず藍の栽培起源についてであるが、蓼藍《たであい》は古代律令《りつりょう》制の時代から官営工房で広く使用されており、工房の需要を満たすために茜《あかね》や紅花《べにばな》などとともに藍の栽培も諸国で行われたことはほぼ確実である。したがって阿波国でも国衙《こくが》、郡衙《ぐんが》などの官営工房に供給するために小規模とはいえ、藍栽培が行われていたと考えられる。阿波で藍の栽培規模が次第に拡大していったのは、中世であったが、中世前期段階の吉野川流域の畑作地帯では藍作よりも燈油《とうゆ》の原材料となる荏胡麻《えごま》栽培が卓越《たくえつ》していたと考えられる。その荏胡麻については、鎌倉時代から吉野川水運を利用した大山《おおやま》崎《ざき》油座神人《じにん》の活動が判明する（福家：一九八九）。このことはすでにこの頃から吉野川流域の地域社会が畿内《きない》経済圏の一角に位置付けられていたことを示すもので、荏胡麻同様、代表的商品作物であった藍もまた、畿内との経済的諸関係の中で栽培・加工・移出が行われたと考えられる。このような畿内経済圏との関係に加えて、手掛かりは極めて乏しいものの、室町期の阿波守護細川氏の領国支配との関係などについても視野を広げながら、阿波藍起源論が展開されることが期待されよう。

参考文献
・長尾覚ほか編『阿波藍沿革史』（稿本）、（阿波藍製造販売同業組合、一九〇八年）
・西野嘉右衛門編『阿波藍沿革史』（思文閣（復刻版）、一九四〇年（初版）、一九七一年（復刻版））
・後藤捷一「（第三章第九節）藍」（徳島県『徳島県史』第四巻、一九六五年）

・徳島県立図書館編・金沢治監修『続阿波国徴古雑抄二』（株式会社出版、一九七四年）
・佐野之憲編・笠井藍水訳『阿波誌』（歴史図書社、一九七六年）
・今谷明「瀬戸内制海権の推移と入船納帳」（燈心文庫林屋辰三郎編『兵庫北関入船納帳』中央公論美術出版、一九八一年）
・福家清司「中世阿波水運史少考」（『歴史と文化・阿波からの視点』第一出版、一九八九年）
・石井町史編纂会編『石井町史』上巻（石井町、一九九一年）
・三好昭一郎『阿波藍史』（阿波銀行、一九九六年）
・下坂守「中世『四条河原』考―描かれた「四てうのあおや」をめぐって―」（奈良大学史学会『奈良史学』二七号、二〇〇九年）
・福家清司「中世阿波における藍業の発展と紺屋」（地方史研究協議会『地方史研究』三八八号、二〇一七年）
・須藤茂樹・岩木太郎・立井佑佳「史料紹介　見性寺所蔵『見性寺記録』」（『四国大学紀要』（A）五一：九一―一〇二、二〇一八年）

3

ランドマークを考古学的に探る

「凌雲閣《りょううんかく》（浅草十二階）」の煉瓦《れんが》

——煉瓦を考古学からみる——

斉藤 進

対象地域

東京

1、残っていた「凌雲閣（浅草十二階）」

平成三十年（二〇一八）二月十日、朝刊に「工事現場に「凌雲閣」遺構　浅草　基礎部分など」のタイトル記事が載った。凌雲閣とは、東京の浅草に明治二十三年（一八九〇）に建てられた展望塔で、大正十二年（一九二三）九月一日の関東大震災によって壊れ、爆破されて地上から姿を消した。長く東京を代表する歓楽街、浅草を代表するランドマークとして存在し、「浅草十二階」の名で親しまれた。多くの写真や錦絵、絵葉書（【図1】）などが残されて

図1　凌雲閣（浅草十二階）絵葉書（台東区立下町風俗資料館蔵）

おり、地元の人々をはじめにその姿は馴染《なじ》み深く、写真や錦絵などで見た方も多いだろう。

さて新聞の前日に情報が入り、近くでもあるのですぐに現地に直行した。この時の状況が【図2】である。現状は建築工事のため地表から一・五ｍほど掘削《くっさく》されており、壁面に煉瓦積みの基礎が二箇所露出し、その下に八角形のコンクリート打ちの土台の一角が表れていた。まさに解体の作業中であった。私は現在の地表すれすれまで煉瓦の基礎が残っていることと、その下に厚い頑丈なコンクリート基礎が残っていることに驚いた。

じつは凌雲閣の基礎遺構は、昭和五十六年（一九八一）に今回の西側、巾《はば》四ｍの道路を挟んだ箇所の工事でも見つかっている。【図３】は凌雲閣の基礎遺構の平面図である。この右手の写真部分が今回の地点で、左手の図がその時の記録である。八角形の北側左右二箇所の位置にあたる。震災での破壊後、中央の南北方向に街路が通って現在に至っているので、道路下には基礎遺構は残っていると考えられる。つまり凌雲閣は、地上の部分が撤去されたものの、土中の基礎はほぼそのまま残り、現在に至っていることがわかった。ここでは、凌雲閣に使われた煉瓦に着目して地域における歴史的意味について探ってみたい。

2、凌雲閣の概要

凌雲閣は明治二十三年（一八九〇）一月に起工し、同年十一月十一日に開閣式が行われている。

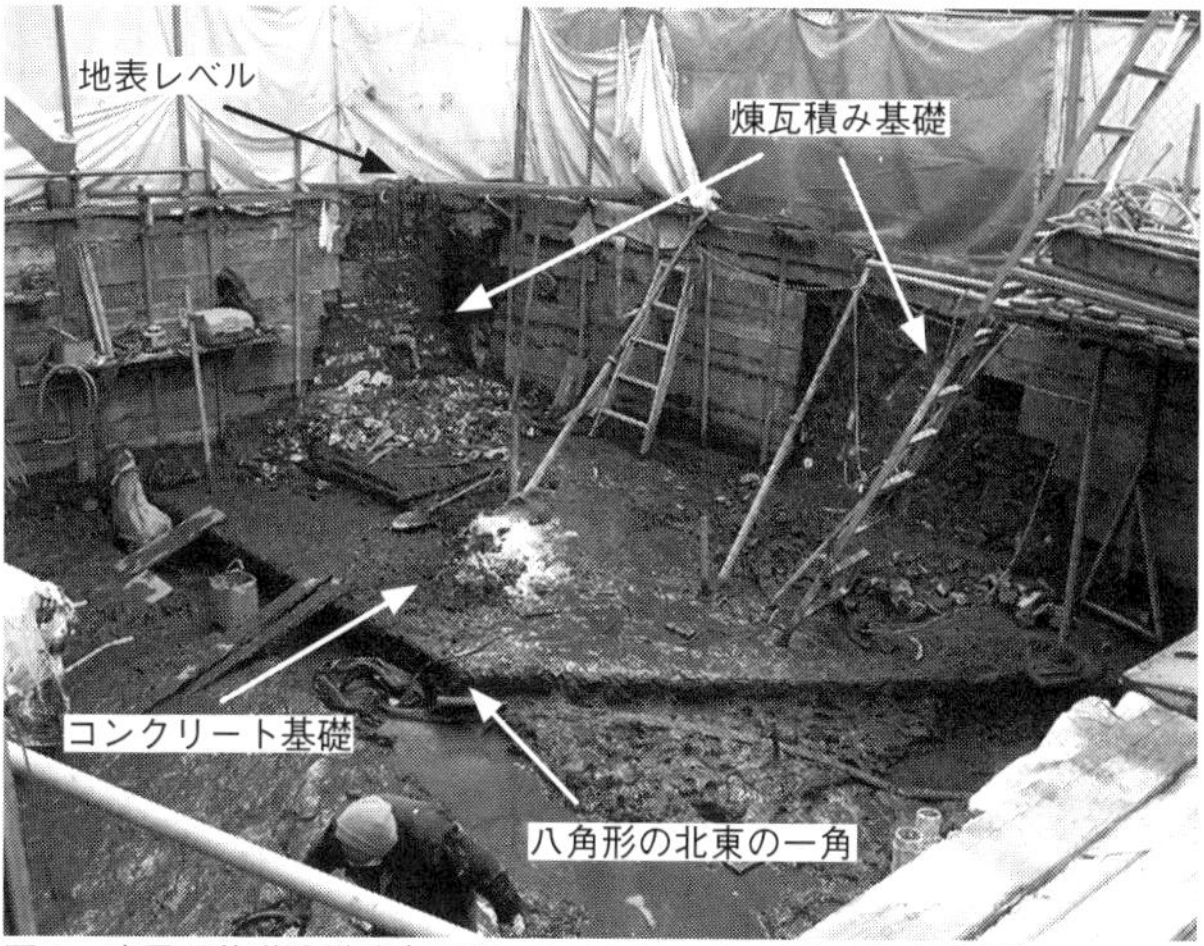

図２　凌雲閣基礎遺構残存状況（2018 年２月９日）（筆者撮影）

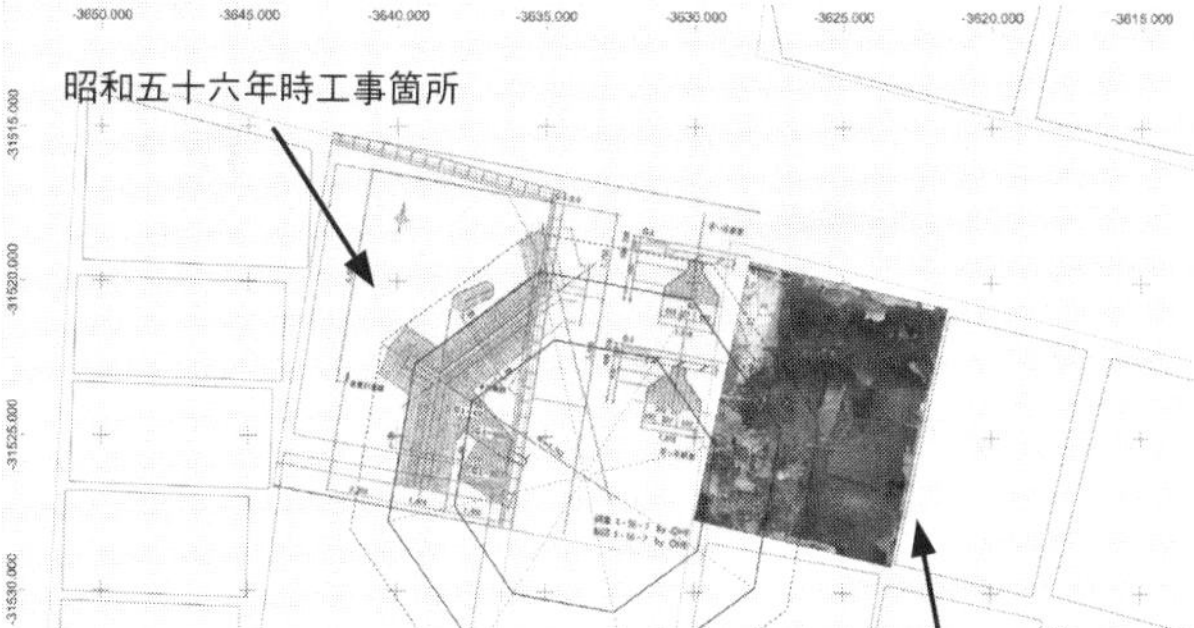

図３　凌雲閣基礎遺構確認平面図（台東区教育委員会）

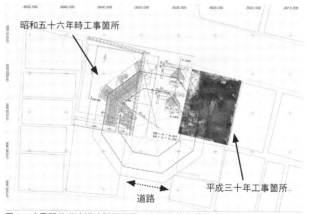

当時、眺望目的の高塔が流行《はや》り、凌雲閣はその代表格であった。なお入閣料金は「縦覧料《じゅうらんりょう》」と呼ばれていた。設計は英国人技師のウィリアム・K・バルトンといわれている。高さは避雷針を入れて約一七三尺《しゃく》（五二m）、十階まで煉瓦を積みあげてつくり、その上二階を木製により積み足して十二階としている。平面は八角形、建坪三七坪、各階の高さは、一階から八階までは三・八mほどであった。各階には眺望のために窓が多く設けられている。内側の直径約一一m、真ん中に三畳敷きのエレベーターが二台設置されている。エレベーターは本邦初のものであったが、故障続出のため撤去されている。一階から八階まで壁に沿って階段が設置されている。二階から七階まで各階当たり六・七の店舗があった。八階は休憩室、一〇階以上は眺望室であった。

この高塔は地理的には東京低地と呼ばれる、沖積層の軟弱地盤に建てられている。このため堅牢な基礎構造を構築する必要があり、地下二丈《じょう》（約六m）に松杭二〇尺（約六m）のものを打ち、その上に四寸角（約一二cm）の角材を交互に組ませる筏地形《いかだちぎょう》をし、その上に厚さ二尺五寸（約七六cm）、巾八尺（約二四二cm）のコンクリートを打つという入念な基礎工事を行ったと伝わる。総工費四万円の内三分の一が基礎工事に掛かっている。

凌雲閣の躯体《くたい》は、八角の各角の外側に張り出すように煉瓦を積み上げて支柱とし、その間を煉瓦壁で埋め込んでいる（【図４】）。壁厚は、三階までが九七cm、四・五階が八六cm、六・七階が七五cm、八～一〇階が六四cmと上方へと減じている。驚くことにこの高塔は鉄骨を用いることもなく、

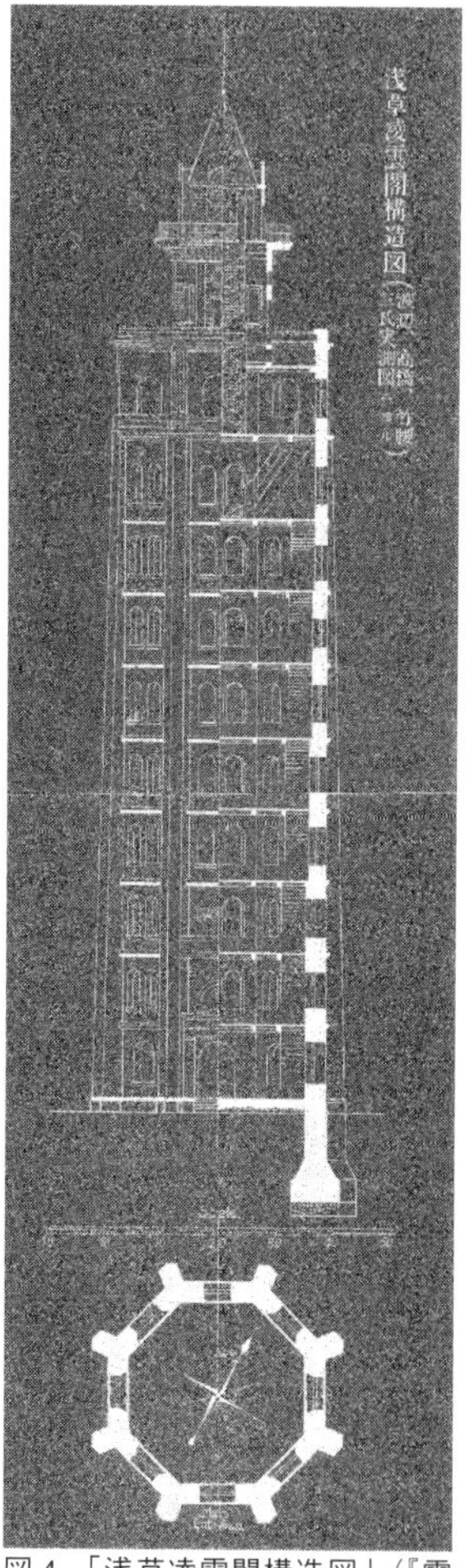

図４ 「浅草凌雲閣構造図」（『震災予防調査会報告』第97号、大正10年より）

建築資材として赤煉瓦を積み上げて作っている。一〇階までの高さ約四〇mを、基礎も含めてその数三三〇万個の赤煉瓦が使われたといわれている。

凌雲閣は、完成の翌年の明治二十四年十月二十八日に濃尾《のうび》地震に見舞われるが、東京は余波にすぎなかったこともあり、多少の破損で済んでいる。しかし、明治二十七年六月二十日に東京はマグニチュード七・〇の地震に襲われる。この時、意外にも倒れるようなことはなかったものの、五階から七階までの壁に亀裂が入ったために、煉瓦壁の内外に巾七・六cmあまりの鉄帯を通し、それをボルトで締め上げる大改良工事が行われる。

3、東京における煉瓦生産

さて、この高塔を支えた煉瓦とはどのような経緯で作られてきたのだろうか。わが国では近世の建築は木造建築が主流で、高い壁などは石垣や土塀で作られており、煉瓦という建築資材はなかった。煉瓦は江戸時代末期の幕末に西洋の技術として日本に伝わった。煉瓦には建築資材としての赤煉瓦と炉壁に使われる耐火《たいか》煉瓦（いわゆる白煉瓦）の二種類がある。日本の初期煉瓦生産は、耐火煉瓦の製造が先行する。その理由は、外国への防備のために大砲の製造が急務で、反射炉《はんしゃろ》用の耐火煉瓦の製造が求められたからである。江戸末期の嘉永三年（一八五〇）には佐賀藩で製造され、江戸では江戸湾防備のために、江川太郎左衛門《えがわたろうざえもん》による韮山《にらやま》での反射炉用の耐火煉瓦の製造が安政元年（一八五四）頃手掛けられている。

一方、建築用の赤煉瓦は、安政五年（一八五八）に長崎鎔鉄所（後に製鉄所と改称）で生産される。この煉瓦は、オランダ人ハルデスの指導のもと、長崎の瓦屋が製作した。また、関東での煉瓦製造は、慶応二年（一八六六）フランス人ウェルニーの指導によって横須賀製鉄所内で始まる。両者ともに「蒟蒻《こんにゃく》煉瓦」と呼ばれる薄手の煉瓦であった。

東京の煉瓦建築のはじまりは、丸の内の永楽町金銀分析所や明治三年（一八七〇）起工の竹橋《たけばし》陣営（近衛兵営《このえへいえい》）が知られるほどで、明治初期における煉瓦建築は大阪や神戸に較べると遅れ、明治五年の銀座煉瓦街建設計画が煉瓦建築の契機となる。煉瓦街の建築には、大阪造幣寮を建築した建設局の雇《やとい》技師アイルランド人ウォートルスの指導を受け、後の小菅《こすげ》集治監（現葛飾区小菅）の地に、房州石《ぼうしゅういし》を用いた三基のホフマン円形輪窯《りんよう》を築造して煉瓦製造を行っている。しかし、当時の東京での煉瓦生産は、安定した生産量が見込めるほどの段階ではなかった。これを支えたのは隅田川の沿岸の瓦屋であった。この地域は江戸時代以来の窯業生産地であり、特に隅田川を挟んだ今戸《いまど》（台東区）や本所《ほんじょ》（墨田区）は、瓦をはじめ火鉢、植木鉢、焙烙《ほうろく》などの日常雑器類や土人形などを生産していた。なかでも今戸焼は江戸陶芸の代表的ブランドになっており、江戸窯業の中心地域であった。

図５ 「衣食住之内家職幼絵解之図十六」明治６年（1873）歌川国輝（２代）

明治時代に入ると瓦生産は、機械化による大量生産に成功した常滑《とこなめ》などの東海地方に凌駕《りょうが》されて陰りを見せてくる。しかし、隅田川沿岸とその周辺では、瓦に替わり明治から大正にかけて新たに煉瓦生産が盛んになる。

明治初期の煉瓦生産は、建築資材として作られるが、これを支えたのが従前の瓦職人であり、瓦職人が煉瓦職人に転じていくことになる。【図5】は、明治六年に家の造作に関わる職人を描いた錦絵である。右下の職人が瓦をつくり、左下の職人が煉瓦を作っており、その背後に「だるま窯」と呼ばれる達磨状の窯で、瓦と煉瓦を焼いている様子が描かれている。明治初期の煉瓦製造は、幕末期から瓦職人が小規模に煉瓦製造を手掛けはじめた段階であり、この銀座の煉瓦街を契機として、徐々に煉瓦製造は個人工場としてその規模を拡大していく。

4、煉瓦の作り方

さて、煉瓦はどのように作られたのだろうか。煉瓦の作り方には基本的に二種類の成形技法がある。一つは「手抜き成形法」と呼ばれる技法である。これは、型枠の中に素地の粘土を詰め込んだ後に型から抜き、表面を板状の工具で撫《な》でて仕上げる方法で、手作業によって個別につくるものである。煉瓦技術が伝わった初期の製作技術である。二つ目は、「機械抜き成形法」である。この成形は、蒸気力によって押し出された長方形の粘土素地をピアノ線によって切断して、煉瓦を連続製造するものである。明治二十年、現在の埼玉県深谷《ふかや》に設立した「日本煉瓦製造会社」によって導入された新技術であり、明治二十三年に煉瓦の製造が軌道にのっている。焼成窯はホフマン窯と呼ばれるもので、窯の内部を仕切って順次焼くことができるものである。機械による連続成形とホフマン窯による連続焼成によって、画一的な大きさと大量生産及び品質の安定化が可能になった。しかしこの後、すべてが機械による生産に替わるわけではなく、「手抜き成形」による煉瓦は同時に中小の工場で続けて製造される。このため整形技法上での年代観は、「機械抜き成形」の煉瓦の場合は明治時代後半期以降のものとはいえるが、「手抜き成形」による煉瓦だけでは明治前半期の煉瓦とは言い切れない。この他、プレス成形による技法も指摘されているが、類例としては多くない。

5、凌雲閣の煉瓦を考古学からみると……

この二種類の成形法は、煉瓦の観察によってその違いがわかるのだろうか。煉瓦に残る製作技法の痕跡を考古学的に見てみることにしよう。煉瓦の表面の呼称は、面積の広い平《ひら》（面）、その長いほうの側面である長手《ながて》（面）、短い側面の小口《こぐち》（面）と呼ばれる。「手抜き成形法」では、平面を板状の工具で撫でて平滑に仕上げるので、縦筋状に撫でた痕跡が残る（【図6・8】）。一方、「機械抜き成形法」では、ピアノ線のような金属線で切断することにより、カステラを切ったような縮《ちり》緬《めん》状の痕跡が残る（【図7】）。このように煉瓦の表面の観察によって両者の整形技法の識別が可能である。

それでは凌雲閣の煉瓦はどうであろうか。【図6・8】は、昭和五十六年の時に採取された凌

図６「手抜き成形法」による煉瓦（凌雲閣の煉瓦：表面に縦方向の撫で跡が残る）（筆者蔵）

図７「機械抜き成形法」による煉瓦（表面に縮緬状のシワが残る）（筆者蔵）

雲閣の基礎に用いられていた煉瓦である。煉瓦の大きさは、長さ二一八×巾一〇六、厚さ五五㎜である。煉瓦の大きさは、大正十四年（一九二五）に日本標準規格として二一〇×一〇〇×六〇㎜になる。しかし、それ以前は統一化されず、地方の基準や建物に合わせるように作られていた。煉瓦表面の色合いはにぶい赤色である。明治初期の煉瓦は、概して焼成温度が低いことから、軟質で色合いも、みかん色のものが多い。しかしこの煉瓦は、粘土の生地も緻密で、高温焼成によって硬く焼きしまった良質品といえる。平の両面に板状の工具を使って撫でた、縦方向の筋状跡があるので、「手抜き成形法」によって作られていることがわかる。【図６・８】の平面が型に入れ込んだ時の表面にあたり、横方向の線は、

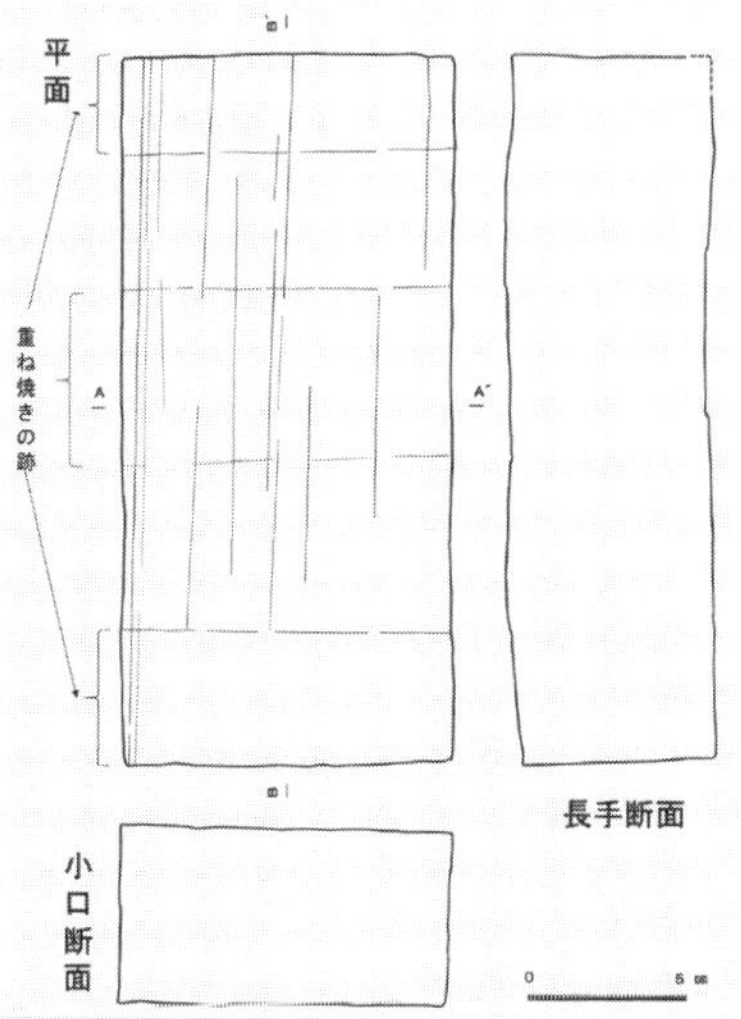

図8　凌雲閣の煉瓦実測図

煉瓦を窯詰めの際に重ねておいて焼いた痕跡である。煉瓦の角の仕上げは丁寧で、鋭く直角に曲がっている。煉瓦には、平面に製造会社や責任者を示す印が押されるものがあるが、これには刻印はない。

　こうした点から凌雲閣の煉瓦は、良質の煉瓦で、大きさから年代的には大正十四年以前のものと推定される。また、「機械抜き成形法」の煉瓦で作られていても年代的には不思議ではないが、「手抜き成形法」によって作られていることがわかる。

6、窯業生産地の象徴としての凌雲閣

　これまで見てきたように明治時代初期の煉瓦製造は、江戸時代以来の瓦職人が煉瓦製造に転じることを契機としてはじまり、徐々にその需要は高まっていく。明治十年代に入ると、三河《みかわ》より陶磁器焼成窯を模倣した「登り窯」が伝わり、小菅集治監他の工場にも用いられて主流となって

表１　明治二十年　東京の代表的な煉瓦工場

	工場名	現行政区	旧所在地
1	小宮製造所	足立区	南足立郡鹿浜村
2	小泉工場	足立区	南足立郡江北村大字小台
3	下川煉瓦工場	足立区	南足立郡江北村大字宮城
4	下村製造所	足立区	南足立郡宮城村
5	曽根製造所	足立区	南足立郡宮城村
6	隅山本木工場	足立区	南足立郡西新井村大字本木
7	和田荘十郎工場	葛飾区	南葛飾郡金町村
8	細谷製造所	葛飾区	南葛飾郡金町村
9	小菅集治監	葛飾区	小菅村千二百 84 番地
10	曽根製造所	北区	北豊島郡神谷村
11	千葉製造所	北区	北豊島郡豊島村
12	斎藤煉瓦工場	北区	北豊島郡王子村大字豊島
13	田中工場	北区	北豊島郡王子村大字船方
14	廣岡煉瓦工場	北区	北豊島郡王子村大字船方
15	石神工場	荒川区	北豊島郡王子村大字船（方）村

いく。「登り窯」は「だるま窯」に比して高温焼成が可能で、品質の向上につながり、同時に増産化を可能とした。一方、煉瓦の土質調査や等級検査も行われるなど、煉瓦の良質化も図られていく。東京の明治前半期の煉瓦生産は、江戸期以来の窯業生産を下地に導入され、徐々に生産規模、製作技術の改良、製品の良質化を目指して発展していった。凌雲閣の煉瓦は、このような製作技術の改良を経た結果の良質な煉瓦といえる。

凌雲閣が竣工《しゅんこう》した明治二十年代に入ると煉瓦の製造人の分布は、現在の足立区南部、葛飾区東部、北区東部と荒川区西部を中心としている。【表１】はこの時期の代表的な煉瓦製造所である。この地域は、荒川の下流域から隅田川流域及び江戸川下流域にあたり、東京低地と呼ばれる河川氾濫原に堆積した荒木田土がとれることから、これを素地として瓦や在地の雑器類を生産していた江戸時代の窯業地帯であった。やがて大量の煉瓦の需要に伴い明治二十年には、埼玉県深谷に機械製煉瓦工場である日本煉瓦製造会社ができる。これ以降大規模工場化へ向かうが、同時に個人経営による工場生産も並行して製造は続く。煉瓦の生産は大正十二年（一九二三）の関東大震災により大打撃を受け、工場も多くが廃業に追い込まれることになる。しかし、煉瓦生産を支えた窯業は、やがてこれを契機に新たな窯場として荒川放水路以東の葛飾区へ移り、第二の今戸焼の生産地として戦後も植木鉢や焙烙などが生産され続ける。

凌雲閣の煉瓦は、どこで製造されたか現在までわかっていない。しかし先に記した河川流域のいずれかの工場で生産されたものが使われたことは想定できる。浅草に残っている凌雲閣の煉瓦基礎は、この謎を解く大きなカギとなろう。

建築的に見れば凌雲閣は、高所見学という近代のモニュメントとして著名である。しかし、その建築資材の煉瓦は、江戸時代以来の窯業地を母体として、瓦職人の技術を下地に新たに近代産業として発展したモノといえる。凌雲閣は、煉瓦という建築資材を用いて作られた、地域の歴史を物語る象徴的な構築物であったといえる。

参考文献

・『震災予防調査會報告』第九七號（震災予防調査会、一九二一年）
・「荒川沿岸ニ煉瓦製造所駢立」（『東京市史稿』市街篇第七一、東京都、一九八〇年）
・喜多川周之「凌雲閣」（『浅草六区―興行と街の移り変り―』台東区教育委員会、一九八七年）
・「凌雲閣開業」（『東京市史稿』市街篇第八〇、東京都、一九八九年）
・『史跡韮山反射炉保存修理事業報告書』（韮山町、一九八九年）
・『日本煉瓦一〇〇年史』（日本煉瓦製造株式会社、一九九〇年）
・水野信太郎『日本煉瓦史の研究』（財団法人法政大学出版局、一九九九年）
・斎藤進「市谷本村町遺跡の煉瓦遺構」（『ものが語る歴史　一四　考古学は語る日本の近現代』二〇〇七年）
・藤原学「建築煉瓦の開始―長崎を中心に―」（『月刊考古学ジャーナル』№五六九、二〇〇八年）
・斉藤進「Ⅱ　歴史の流れ　近・現代」（『遺跡が語る　東京の歴史』東京堂出版、二〇〇九年）
・細馬宏道『浅草十二階　塔の眺めと〈近代〉のまなざし』（青土社、二〇一一年）
・斉藤進「東京における煉瓦生産の概略」（『公開セミナー二〇一六　発掘調査された小原台堡塁―東京湾要塞とその時代―』公益財団法人かながわ考古学財団、二〇一六年）
・「東京新聞」二〇一八年二月十日朝刊

4

東京近郊のレンガ産業を探る
――地域資料発見の楽しさ――

街角に残された資料から歴史を探る

斉藤照徳

対象地域
東京

1、いまに残る東京のレンガ建築

東京は震災と戦災を体験し、多くの文化的遺産を失ったが、それでもなお現存する文化財がたくさんある。日本の近代化を象徴するレンガ建築もその一つである。

約一五〇年前、江戸から明治に時代が移り変わるころ、日本は西洋文化を積極的に取り入れ、さまざまな分野で洋式化が進んだ。建築においても、日本ではなじみのなかった建材であるレンガが採用され、東京では銀座煉瓦街（明治五年〈一八七二〉）の建設に始まり、東京の玄関口である東京駅（大正三年〈一九一四〉建設）に代表されるようなそうそうたるレンガ建築が造られ、欧米列強に対して日本の近代化をアピールする広告塔の役割を果たした。

現存する明治時代のレンガ建築は、日本近代化の象徴として保存・活用されるようになっており、多くの建造物が国の重要文化財に指定されるほか、二〇一四年に富岡製糸場（群馬県、明治六年建設）がユネスコの世界遺産に登録されたことも記憶に新しい。

世界的にみるとレンガ建築自体は、ヨーロッパを中心に長い歴史を有し、建材としてレンガ自体に一定の時代性を見出すことは難しい。しかし、こと日本においては、明治から大正という限られた時代に隆盛し、関東大震災の経験とＲＣ構造（鉄筋コンクリート造）の普及によって、建材としては短期間で廃《すた》れてしまった。そのためレンガ建築は近代という時代を思い起こす記憶装置として機能するようになったといえる。レンガ建築を通して「明治」という時代を感じるという人は少なくないだろう。実際、レンガ建築は歴史や建築の愛好家に人気のあるコンテンツとなっており、文化財めぐりやフォトスポットとしてメディアなどで紹介されることも多い。また、現在の店舗や家屋で、あえてレンガ建築風の意匠を取り入れて（実際はレンガ造ではなくレンガタイル張りが多いだろう）、アンティークな雰囲気を演出することもある。

このようにレンガ建築は現代人にとって、単なる建材ではなく、歴史を感じたり、建築的意匠を「見て楽しむもの」として受け入れられている。一方でレンガを、積み上げられて建築物になる前の「資材」としてみた時、どこでどのように作られて、どうやって運ばれたのかについては、一般にはあまり関心がもたれているとはいえない。東京各地に残るレンガ建築のレンガが造られた場所はどこなのか。こうしたささやかな疑問をもつことも地域史に興味を抱く一つのきっかけとなる。世の中には筆者のように、こうした他人が気にも留めないようなことに興味を持って調べる人間がいるのである。そこで、本章では明治時代の東京近郊でつくられていた資材としてのレンガの歴史について一つの事例を紹介する。そして、東京の街角に残された地域資料から色々な歴史を見つけ出すことができる楽しさをぜひ、読者の皆様にも体験していただきたい。

2、明治東京のレンガはどこでつくられた?

幕末から明治初期のレンガ建築黎明期、レンガ製造業は、専門の製造業者がいたわけではなく、外国人の指導のもと、瓦焼職人や焼き物職人がこれに従事した。彼らは在来の技術や設備を転用し、「だるま窯」という瓦焼窯を転用することもあった。窯の設置する場所も、レンガは重くて大量輸送が難しいことから、建築現場の近隣とすることが多かった。

明治政府の主導によりレンガ建築が推進され、レンガの需要が増え始めると、東京をはじめとする都市の近郊地域でレンガが大量に生産されるようになった。初期の東京を代表するレンガ製造工場が、小菅《こすげ》盛煉社（明治五年〈一八七二〉創業、葛飾区）である。盛煉社は、ホフマン輪窯《わがま》といわれるレンガの大量焼成を可能にする設備を有し、銀座煉瓦街などにレンガを供給した。明治十一年には、同地に小菅集治監が設置され、囚人労働としてレンガ製造が継続された（水野：一九九九）。このレンガは東京各地で使用されたため、現在でも町なかに残るレンガ建築や、近代遺跡の出土品の中から小菅集治監製のレンガを見つけることができる。

図１　小菅集治監製レンガの刻印（荒川：2011 より転載）

図２　日本煉瓦製造株式会社製レンガの刻印（荒川：2011 より転載）

また、日本初の本格的なレンガ製造工場とされているのが日本煉瓦製造株式会社（埼玉県深谷《ふかや》市、明治二十年〈一八八七〉創業）である。実業家・渋沢栄一《しぶさわえいいち》が設立したことで知られ、ホフマン輪窯による大量焼成で、東京駅、司法省（現法務省）、日本銀行本店など多くのレンガ建築にレンガを供給し、東京の近代化を支えた（日本煉瓦：一九九〇）。日本煉瓦製のレンガも長期間の操業により大量に消費されたため、小菅と同じく、現在でも多く目にすることができる。

さて、小菅や日本煉瓦製のレンガを「目にすることができる」と書いたが、どのレンガがどこの工場製のものかを見ただけで判断できるのだろうか。結論から言うと、「レンガのある部分を見ることができればわかる場合もある」のである。明治時代のレンガには「刻印」といわれる製造所を示すマークが押されていることがある（ただし、すべての刻印が製造所を示しているわけではない）。この刻印を見つけることができれば、製造工場が判断できるのである。

では、小菅集治監や日本煉瓦製の刻印はどのようなものだったのだろうか。小菅製レンガには、「桜の花」のマークが押されており、これが見つかればおおむね小菅製といえる（【図１】）。日本煉瓦も「上敷免《じょうしきめん》製」（上敷免は所在地の字《あざ》名《めい》）の印があり、これがあれば間違いなく日本煉瓦製である（【図2】）（水野：一九九九）。

しかし、この刻印を見つけることがなかなか難しい。なにせ、刻印はレンガの「平《ひら》」の部分（レンガを積み重ねる面）に押されることが多いため、建造物になった時には隠れてしまうのである。そのため、レンガがバラバラになっている状態か、「平」が露出する部分（主に頂上）を見ないといけない。

家や工場などの建築物で頂上を目視するのはまず不可能である。一方、レンガ塀など低くて、頂上を見ることが比較的容易な構造物なら発見できることもある。しかし、刻印調査では他に気を付けないといけないこともある。そもそも塀は敷地を外から見えないように仕切るために作られているものなので、レンガ塀の頂点を見るという行為は、はたから見れば、塀の中をのぞき込んでいるように映る。そのため、実際に調査をするときは、当然のことだが、所有者の許可・協力を得ないと大問題になってしまう（たとえ許可を得たとしても、事情を知らない人から見れば不審者でしかないが……）。このように、明治時代のレンガの製造元を実物のレンガ建築から探るのはちょっとした一苦労なのである。

3、山本煉瓦工場の刻印をもとめて

苦労（？）をともなうレンガの調査であるが、刻印を探し求める者にとっては、そんな苦労を乗り越えてレンガの刻印を見つけた時の喜びはひとしおである。そこで、ここでは筆者が体験した刻印を見つけることができたうれしい事例を紹介しよう。

　明治時代、東京近郊のレンガ製造工場は隅田川沿いの地域に多く設立された。主に現在の足立区・荒川区・北区などである。レンガ製造工場を設置するにはある条件が必要であった。それは材料の入手手段と製品の搬入出経路の確保である。レンガ製造には原料となる荒木田土《あらきだつち》（焼き物などの原料にもなる粘土質の土、荒川区尾久をはじめ隅田川流域は江戸時代以来の荒木田土の産地）を搬入し、完成したレンガを出荷しなければならないが、土・レンガいずれも重量があるため、できるかぎり輸送の手間は省きたい。そこで良質の土が獲れる場所に工場を設置して輸送の手間を省いたのである。さらに製品のレンガは都市部で消費されることが多いため、都市近郊地域に位置することは都合が良い。また、明治期はまだ自動車が普及しておらず、重量物を大量に輸送するには舟が主流だったため、河川沿いに工場を構えると積み込み・積み下ろしに便利であった（斉藤：二〇一六a）。

　東京近郊を流れる隅田川流域はこうした条件が整った場所だったため、江戸時代から今戸焼《いまどやき》や瓦などの焼き物職人が多い地域だった。これらの職人は、その技術と所有する窯を活《い》かして、明治になるとレンガ製造にも携わったと考えられている（日本煉瓦：一九九〇）。そのため東京のレンガ製造工場は隅田川沿岸部に多く設立されたのである。その数は、明治初期には本所《ほんじょ》を中心に一三七ヶ所もあったとされ（田村：一九八四）、瓦の焼成窯などによる小規模なレンガ製造が行われた。やがて、設備が大規模化していくとその数は減っていくが、かわりにホフマン輪窯や登り窯（斜面を利用して造る窯業用窯）などの施設を備えたレンガ製造工場が設立され、大正〜昭和初期まで経営されていたのである。

山本煉瓦工場（荒川区）はそうした隅田川流域に設立されたレンガ製造工場の一つである。工場の創業は明治三十一年（一八九八）で、工場主は尾久《おぐ》の尾久町町会議員も務めた起業家の山本要蔵《やまもとようぞう》。工場所は、現在のADEKA研究所（荒川区東尾久七丁目）付近である。山本煉瓦工場の詳しい経営状況については、資料が残っていないため明らかでない部分も多いが、製造されたレンガは地域で消費されたり、東京市中に出荷されていたと考えられる。

この山本煉瓦製のレンガを目にする機会が得られたのが、荒川区立荒川ふるさと文化館が主催した、平成二十二年度の地域史講座（区民向けの郷土史講習会）である。この時は、荒川区のレンガ工場がテーマに取り上げられた。これには筆者も当時、職員として運営に携わっていた。そして、山本煉瓦製のレンガを使ったといわれるレンガ塀が、尾久の佐藤病院にあるという指摘があった（大山：一九九一）ことから、フィールドワーク調査の実習として佐藤病院のレンガ塀の実見を行なった（もちろん病院の許可を得てである）。そこでレンガ塀の中から「山本」・「∧本」と刻印（【図3】）されたレンガを発見したのである。参加者の一人が刻印を見つけると、あちこちで「あっち

図３　山本煉瓦工場の二種類の刻印（荒川：2011より転載）

にもあった」「こっちにもあった」と声が上がったことを記憶している。

　おそらくこの講座の参加者の多くは、それまでレンガ塀のそばを通ったとしても、それをまじまじと見てみようなどとは思いもしなかっただろうし、ましてや地域の歴史を物語る資料であるとは知るよしもなかっただろう。蔵に仕舞われて未発見だった古文書や、地中に眠っていた考古遺物とは違い、山本煉瓦のレンガ塀は、いつも見ていた風景に建っていた。しかし、そのモノに「歴史的な価値がある」と認識し、刻印という確かな証拠を目にした時、はじめて山本煉瓦のレンガ塀は、参加者にとって「地域資料」になったのである。こうしてみると地域資料とは、必ずしもどこかに隠れているものではなく、ありふれた風景の中にたたずんでいて、だからこそ時に発見することが難しく、そして見つけ出すことができたらうれしいものでもあると、このフィールドワークを通して強く感じることができた。

4、まさかここで「広岡」の名を目にするとは

日本のレンガ建築は一般に、大正十二年（一九二三）の関東大震災でレンガ建築が大きな被害を

図4　あらかわ遊園のレンガ塀（2020年、筆者撮影）

受けたことと、鉄筋コンクリート造の普及で衰退していったとされる。当然、建築資材としてのレンガの需要も低迷していき、レンガ製造工場はその数を減らしていった。

　隅田川流域の工場も同様で、震災前後の時期にはその姿を消したため、現在ではレンガ製造工場の名残りをうかがうことができる場所もほとんどないが、そのようななかであらかわ遊園（荒川区）は強烈な存在感を放っている。ここには広大な敷地を取り囲むようにレンガ塀（【図4】）が築かれた。その建設年は開園された大正十一年と考えられている（澤田：二〇一九）。

　さらにこのレンガ塀が地域にとって重要なのはその古さだけではなく、あらかわ遊園の前身が広岡煉瓦工場というレンガ製造工場であったという点である。広岡工場は、日本煉瓦製造会社と同じく、レンガを大量生産できるホフマン輪窯も備えていた大規模な工場であった（荒川：二〇一一年）。

この広岡工場には一つの謎があった。それは、明治三十年（一八九七）に実業家の広岡幾次郎《ひろおかいくじろう》がレンガ製造工場を設立した際に「深川で掘った土を使ってレンガを焼いた」とされている（古林：一九二二年）のだが、その具体的な経緯がわからないことであった。しかし、証拠となる史料が見つからない限りは証明しようがないため、その答えはわからないままとなっていた。

その後、江東区に職場を移した筆者は、文化財保護の業務に携わるなかで東砂《ひがしすな》の旧家の古文書群・宇田川《うだがわ》家文書（平成二十九年江東区登録有形文化財に登録）を調査する機会を得た。宇田川家は、地元の砂町《すなまち》町長や東京府議会議員も務めた有力者で、家業として養魚場を経営していた。江東区域ではかつて、多くの養魚場が経営され、フナなどの食用魚や金魚などの観賞魚を養殖していた。そのため、養魚関連資料があることには何の違和感もなかった。しかし、調査を進めるうちに一つの史料が目を引いた。

その史料は「砂村煉化石製造株式会社」（煉化石はレンガのこと）を設立するための出願書類であった（【図５】）。城東地域（江東区東部）は隅田川には面しておらず、明治初期に亀戸《かめいど》でレンガを焼いていたという記録はあるが、基本的にレンガ製造工場は少ない地域と考えていたため、やや意外な印象を受けた。しかし、一方で人工河川が発達した地域でもあるため、運搬の不便はなくレンガ製造工場が立地してもおかしくはないとも考えられた。

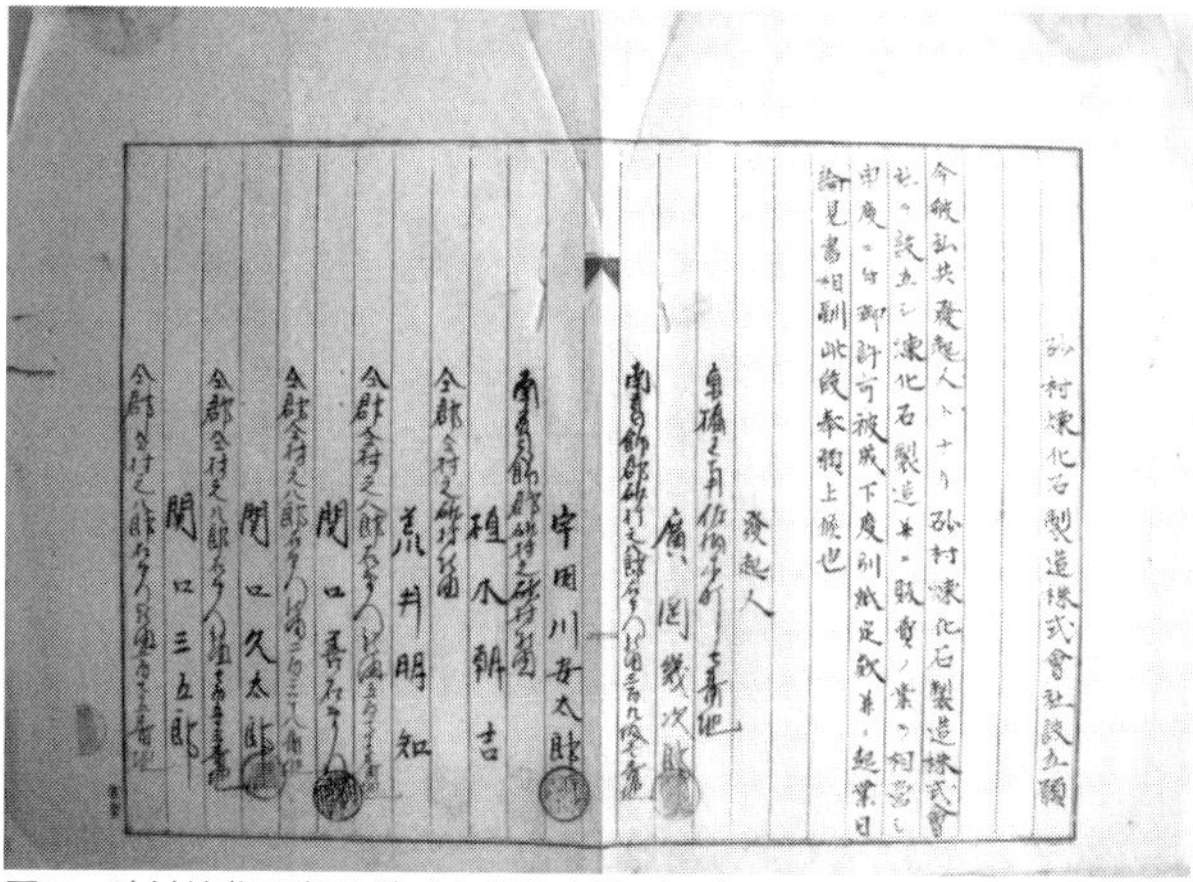
砂村煉化石製造株式會社設立願

今般私共發起人トナリ砂村煉化石製造株式會社ヲ設立シ煉化石製造並ニ販賣ノ業ヲ相営ミ申度ニ付御許可被成下度別紙定款並ニ起業目論見書相副此段奉願上候也

發起人

廣岡幾次郎

宇田川安太郎

植木朝吉

荒井明知

関口喜右衛門

関口久太郎

関口三五郎

図5　砂村煉化石製造株式会社設立願（江東区宇田川家文書、江東区教育委員会蔵）

そして、願書の差出人を確認すると、驚いたことに連名で書かれた会社設立のメンバーに「広岡幾次郎」の名前が入っていたのである。これにより、わからないままとなっていた広岡と江東区とのつながりを確認することができたのである。

さらに史料を読み進めると、養魚場と煉瓦製造会社の設立には関連性があることがわかった。それは、養魚場経営では、養魚池の掘削《くっさく》作業をした際に出る大量の掘削土の処理が課題であった、ということである。そこで、この掘削土を使ってレンガを製造しようと考えたのだった（斉藤：二〇一六b）。

残念ながら、宇田川家文書には煉瓦製造会社の経営全体を把握できるほどの史料は残っていなかったため、広岡が砂村煉化石から離れ、尾久にレンガ工場を設立するに至った経緯をすべて明らかにすることはできなかった。しかし、尾久の広岡煉瓦との関係など予想もしていなかった江東区の史料群から、広岡煉瓦の謎の一端を明らかにする事実がつかめたこの調査は、まさに地域資料を探して、調べて、読み解いていく地域史研究の醍醐味が凝縮された出来事であった。

地域にはまだまだ、「地域資料」として認識されていない資料、未発見の資料、地域史の謎を解く意外なヒントを秘めている資料が、たくさんある。私たちがいつも何気なく暮らしている地域に隠れている、「宝物」のような地域資料を探し出し、その謎を解く地域史研究の魅力を読者の皆さんもぜひ体験してみてほしい。たとえ他人が気にも留めないようなことであったとしても、自分が楽しいと思えるのなら、それこそが「地域が持つ魅力」の一つといえるのではないだろうか。

参考文献

・古林亀治郎編『現代人名辞典』（中央通信社、一九一二年）
・田村栄太郎『日本職人技術文化史〈下〉』（雄山閣出版、一九八四年）
・日本煉瓦製造株式会社『日本煉瓦一〇〇年史』（一九九〇年）
・大山せいし『尾久町屋あれこれ』（一九九一年）
・水野信太郎『日本煉瓦史の研究』（法政大学出版局、一九九九年）

・荒川ふるさと文化館『煉瓦のある風景―あらかわの近代建築と煉瓦産業―』（二〇一一年）
・斉藤進「東京における煉瓦と考古学」（『考古学ジャーナル』六六四、ニューサイエンス社、二〇一四年）
・斉藤照徳「所蔵資料紹介「深川区石島町九番地　渡辺半三郎邸宅図」」（江東区地域振興部文化観光課文化財係『下町文化』二七二、二〇一六年）a
・斉藤照徳「明治期江東区域の煉瓦製造業―宇田川家文書を中心に―」（江東区教育委員会『江東区文化財研究紀要』一九、二〇一六年）b
・澤田善明「区の有形文化財（建造物）に登録された荒川遊園煉瓦塀」（『荒川ふるさと文化館だより』四一、荒川ふるさと文化館、二〇一九年）

5

神社と人々の結び付きをどう調べるか

町の中の「御嶽山《おんたけさん》」

――神社に関連する資料を中心に――

乾　賢太郎

対象地域
東京

1、東京都大田区にある「御嶽山」

東京都大田区北嶺町《きたみねまち》には「御嶽山」が存在する。この地域を走る東急池上《いけがみ》線の駅名は「御嶽山」であり、当地に構える商業施設も「御嶽山」の名を冠しているところがある。では、なぜ大田区の町の中に「山」があるのだろうか。結論を先に言うと、実は同町に鎮座する御嶽神社が深く影響しているからである（【写真1】）。

御嶽神社は「嶺《みね》の御嶽山」とも呼ばれ、この通称が駅名や店名の由来にもなっている。同社は日本屈指の霊山で長野県と岐阜県にまたがる木曽御嶽山《きそおんたけさん》の関東第一分社であり、かつては関東一円から多くの参拝者を集めた。例えば、明治二十年（一八八七）九月の「御嶽講社人名帳」（御嶽神社所蔵）には、明治二十年九月十一日から翌二十一年九月二十七日までに約一五〇〇件の参拝の記録がある。これによると、参拝者は東京・埼玉・神奈川・千葉・茨城まで広がり、特に東京から埼

写真１　御嶽神社の社殿（2019 年 8 月、筆者撮影）

玉においては中山道《なかせんどう》沿いとその周辺に集中していた。このことは後述する一山行者《いっさんぎょうじゃ》（?〜一八五一）が中山道のあたりで布教に努めたとの伝承にも関わるのだが、近代において関東の木曽御嶽講（以下、御嶽講と省略）の霊場となったのが、「嶺の御嶽山」だったのである。

さて、本章のサブタイトルに「神社に関連する資料」と表したのは、神社が所蔵する古文書だけではなく、神社にある扁額や石造物といった物質資料、地域の方々の語りや記憶といった伝承資料についても含めて扱うからである。それでは、地域に伝わる豊かな資料群を紐解きながら、御嶽神社の軌跡をたどることにしよう。

2、嶺の御嶽山

御嶽神社では、同社の創始を天文四年（一五三五）としているが、詳細は定かではない。文化・文政期（一八〇四〜三〇）に編纂された『新編武蔵風土記稿《しんぺんむさしふどきこう》』によると、「御

写真2　拝殿前の狛犬（2018年10月、筆者撮影）

嶽社　見捨地四畝《みすてちよせ》、これも村の北にあり、小祠《しようし》なり」とある。ここにある「村」とは、北嶺町が含まれた旧村名である嶺村を指すが、当時の社については、同社の拝殿前に山狗《やまいぬ》（狼）を象《かたど》った狛犬《こまいぬ》（建立年不明）があること（【写真2】）、嘉永四年（一八五二）正月に中山道蕨《わらび》宿の蔦谷市《つたやいち》太郎《たろう》が願主となって奉納した文久銭を用いた山狗の扁額《へんがく》などが残ることから、武州御嶽山《ぶしゅうみたけさん》（東京都青梅市《おうめ》）の山狗信仰（オイヌサマ信仰）との関連が指摘されている（牧野：一九九一）。その武州御嶽山だが、宝永三年（一七〇六）に兵右衛門《ひょうえもん》という御師《おし》が「旦那廻《だんなまわ》り」に出ていたことを示す資料が現存する。御師とは、霊山・神社とその信者たちを取りつなぐ宗教的職能者のことだが、この資料から遅くとも一七〇〇年代初頭には武州御嶽山の御師たちは信者たちへ御札を配っていたことがわかる（靭矢：二〇一五）。一方、木曽御嶽信仰を広めた普寛《ふかん》（一七三一～一八〇一）とその弟子たちが江戸・武蔵国で活発に展開するのは一八〇〇年以降とされている。このことを考えると、先に関東一円に広まっていた信仰は武州御嶽山の方で、その後に木曽御嶽山の信仰が重なってきたことが想定される。嶺村の「御嶽社」も木曽御嶽信仰の普及に伴い、その信仰を司《つかさど》る社へと変貌した可能性が窺えるのである。この転換を図った人物として伝えられているのが、一山行者である。

3、一山行者

一山は木曽御嶽信仰を民間に広め、庶民が木曽御嶽山への参拝のために結成した御嶽講の構築に多大なる貢献を果した人物で、尾張の覚明《かくめい》（一七一八～八六）、江戸の普寛、普寛の弟子の一心《いっしん》（一七七一～一八二二）とともに「四大講祖」に名を連ねる人物である。一山は相模《さがみ》国津久井《つくい》郡の生まれで、俗名は治兵衛《じへえ》と伝わる。その後の経緯は不明だが、武蔵国足立郡与野《よの》町（現埼玉県さいたま市）の町役人（名主兼帯）の井原家（通称「南井原」）の養子となった。治兵衛の養父は井原家十代目当主の井原平八《いはらへいはち》で、彼は一心の信者でもあった。治兵衛はこのような環境下で木曽御嶽信仰と接触し、御嶽行者の道へと進んだと考えられる。治兵衛は井原家の菩提寺である与野町の圓乗院《えんじょういん》で仏門に入り、一山の号を授かったという。その後、一山は修行のために諸国を巡ったが、木曽御嶽山で修行をしていると神託を受け、一山はこれを契機として嶺村に前述の「御嶽社」の小祠を発見し、ここを神の示現の地としたことが通説となっている。そして、天保二年（一八三一）に

写真３　一山行者の宝篋印塔【非公開】（2018年９月、筆者撮影）

は現地に社殿を建立し、木曽御嶽信仰を広めていったという。一山は晩年を神田佐久間町の穀物問屋であった見富《みとみ》家で過ごし、嘉永四年（一八五一）十二月二十日に亡くなった。

その後、与野町の圓乗院には墓石や宝篋印塔《ほうきょういんとう》が建てられ（【写真３】）、一山を敬慕する信者たちが中心となって一山神社が与野町に築かれたのである。また、明治三十二年（一八九九）頃には嶺村の御嶽神社の境内にも一山神社祖霊社が築かれ、ここは信者が参籠するための修行場所にもなった。

4、崇敬神社から氏神神社へ

御嶽神社の管理については、文久三年（一八六三）四月の「境内作事麁絵図《けいだいさくじあらえず》」（御嶽神社所蔵）から、当時は正善寺《しょうぜんじ》（現在の寺名は観蔵院《かんぞういん》）が神社を管理する別当を務めていたことが窺える。ちなみに、正善寺は嶺村にあった新義真言宗の宝幢院《ほうどういん》（大田区西六郷）の末寺で、中興三世の順宥《じゅんゆう》が三

写真４　観蔵院の薬師堂（2018 年２月、筆者撮影）

河国鳳来寺《ほうらいじ》より勧請《かんじょう》した薬師如来が江戸時代に「峯の薬師」として崇敬を集めた寺院である（【写真４】）。そして、明治二年（一八六九）十一月の「神社取調書上帳」（御嶽神社所蔵）によると、「先前別当《せんぜんべっとう》新義真言宗正善寺ニ御座候処、今般御一新《こんぱんごいっしん》ニ付、村内一同評《ひょう》決《けつ》之上、同寺之儀者本寺同郡高畑村《たかはたむら》宝幢院兼帯《けんたい》ニ仕、住僧智道《じゅうそうちどう》義復飾松本一学《ふくしょくまつもといちがく》と改名、神主仕度段、当三月中奉願上候」とあり、正善寺十三世住職の智道が明治二年三月に松本一学への改称を願い出て神職に転じ、御嶽神社の社掌に就任したことがわかる。これ以降、松本家が神職を代々務めている。明治五年（一八七二）、同社は村社に列せられ、嶺村の氏神となった。そして、村内の各所で祀られた「女体《にょたい》権現社」（現白山神社）、「大神宮」（現天祖《てんそ》神社）、「稲荷社」（現稲荷神社）、「道祖神」（現道饗社《みちあえしゃ》）は御嶽神社の境外末社に位置付けられたのである。これらの社も松

写真5　戦後の登拝再開時の嶺一山講（1955年7月撮影、鈴木克久氏蔵）

本家が祭祀を兼務することになり、今もなお続いている。

5、嶺一山講

　御嶽神社には、同社の運営を支え、木曽御嶽山への参拝講として活動する嶺一山講《みねいっさんこう》が存在する。そもそも講とは、ある目的を達成するために結集することが一つの指標となる集団のことで、その中で参拝講（参詣講ともいう）は地域の外に信仰対象を見出し、そこへの帰依を目的とした集団である。参拝講は江戸時代後期から活発になり、著名な霊山や社寺へと赴いたが、後述するように参拝講は様々な人々の関与によって成り立っている。

　嶺一山講の始まりは一山行者の没後に同師の徳を偲《しの》んで、初代先達の峯山妙覚《ほうざんみょうかく》や初代講元の長久保林《ながくぼりん》蔵《ぞう》が中心となり、安政元年（一八五四）に創設したという。これ以降、嶺一山講は嶺村と鵜ノ木村（現大田区鵜《う》の木《き》）の人々が中心となり、終戦前までは講員一戸当り毎月三〇銭《せん》位を積み立てて、講員は五年に一回程度の順番で木曽御嶽山に代参した（大田区社会教育課社会教育係編：一九七六）。昭和十五年（一九四〇）には戦争の影響で登拝を一時中断したこともあったが、昭和三十年（一九五五）七月二十五日に再開し、現在も登拝を継続している（【写真5】）。現講元の長久保《ながくぼ》純一《じゅんいち》氏（昭和十一年〈一九三六〉生まれ）によると、現在の嶺一山講は北嶺町と西嶺町の人が中心で、商店会や町の神輿会・ボランティア団体の人が一五名程参加して、毎年八月上旬に木曽御嶽山へ参拝しているとのことである。

6、先達——峯山妙覚と鈴木常五郎

先達とは、参拝講を率いる宗教的指導者の立場にあたる人物を指す。ここでは特に嶺一山講の初代先達と二代目先達について取り上げてみたい。

初代先達の峯山妙覚（一七九六〜一八八七）は「峯山尼」とも称された女性行者である。峯山の名前は、明治四年（一八七一）九月の「御嶽山井戸河再建帳」（御嶽神社所蔵）に見ることができる。この史料によると、「御当社水行場《すいぎょうば》之井戸かわ及《および》大はこ」、すなわち御嶽神社境内にある水行堂と堂内の井戸の再建について、峯山が願主となって信者たちに寄附を呼び掛けていた。神社に参集した信者たちは水行堂で修行をすることが参拝の目的の一つとなっており、これは木曽御嶽山内における滝での水行を模したものと言える。水行堂の井戸には、「明治五申年　四月日建」「発願主　峯山」の刻銘があることから、峯山による勧募の結果、井戸が築かれたことが把握される。

後年の峯山は講元の長久保家で世話になっていたようで、長久保家で亡くなり、同家で葬式を出したという（前記の長久保純一氏からの聞き取り）。その関係から、観蔵院の長久保家の墓所に「峯山妙覚墓」の刻銘が入った卵塔《らんとう》が存在する。さらに、明治三十二年（一八九九）三月十一日には、「峯山霊神碑」が御嶽神社に建立された（【写真６】）。霊神碑とは、木曽御嶽山で修行し、霊神号を取得した行者などを祀る碑のことであり、行者の死後に遺族や御嶽講によって造立されることがあった。

写真６　峯山霊神碑（2018 年 10 月、筆者撮影）

二代目先達の鈴木《すずき》常五郎《つねごろう》（一八五五～一九二〇）については、明治三年（一八七〇）に修行のため木曽山中へ向かったことが伝えられている（御嶽神社社務所編：一九八六）。同十六年（一八八三）四月より、雉子《きじ》神社（品川区東五反田《ひがしごたんだ》）社掌の山口直《やまぐちなお》

写真７　鈴木常五郎の登山三十三度の碑【非公開】（2018 年 9 月、筆者撮影）

照《てる》に就き、皇国学を学んだ。その後、常五郎は神習教や大社教から職位を授かったが、同三十三年（一九〇〇）には下丸子村（現大田区下丸子《しもまるこ》）の村社である六《ろく》所《しょ》神社やその末社である諏訪神社・天祖神社の社掌に任命された。つまり、常五郎は御嶽行者であると同時に、村の神職としても活動していたのである。

かつての鈴木家の家屋は信者が泊まれるようになっており、信者は横浜の人たちが多かったという。太平洋戦争の空襲で家屋が焼けるまでは、水行ができる井戸があったとのことである（鈴《すず》木《き》克久《かつひさ》氏〈昭和二十三年生まれ〉からの聞き取り）。現在も鈴木家の屋敷内には常五郎の三十三度の登山を記念して建てられた石碑が残る（【写真7】）。これは横浜市神奈川町の武内利右衛門《たけうちりえもん》によって寄贈されたもので、武内は横浜居留地一番地（現横浜市中区山下町）に開設したジャーディン・マセソン商会横浜支店の立ち上げ当初から働いた人物であった。常五郎には横浜の信者が多く付いていたとのことだが、御嶽神社にも横浜・神奈川方面の人々からの奉納物が残っている。

常五郎の後は、左官業の傍ら、御嶽神社や嶺一山講にも協力した平井銀次郎《ひらいぎんじろう》（一八八六〜一九四〇）が先達を継いだ。その後は、横山という行者が先達を務めたが、戦後に四国の寺に移って参籠《さんろう》中に死去したとも、いつの間にか姿を消してしまったとも言われており、不明な点が多い。これ以降、嶺一山講においては御嶽行者が先達を務めることはなく、御嶽神社の宮司が先達の役割を果たしている。

7、講元――長久保家

講元とは、参拝講の運営の代表者のことをいう。嶺一山講の講元は長久保家（屋号「田ノ原屋《たのはらや》」）によって受け継がれている。長久保家の由来については、先祖の佐七《さしち》（行年不詳）が御嶽神社の傍らに茶店を出し、一山行者がその屋号を木曽御嶽山の地名から「田ノ原屋」と名付けたと伝わる。このように、一山との関係を示す事例は、東京都板橋区・練馬区、埼玉県蕨市・志木市などにも散見でき、各地の御嶽講は一山との関わりの深さや継承の正当性を説いている。

ところで、当時の田ノ原屋は神社の一隅にあったが、御嶽神社社殿の新築後は神社の前に茶店を新たに築き、参拝者が宿泊できるようにもした。田ノ原屋は休憩だけではなく、宿泊の機能も持った施設となったのである。宿泊者が水行をする井戸も宿泊部屋の近くにあり、霊験あらたか

写真８　御嶽の霊水（2017 年 6 月、筆者撮影）

であったという。この水は今もなお湧き続けており、御嶽山駅近くの商業施設の片隅に「御嶽の霊水」として見ることができる（【写真8】）。

嘉永六年（一八五三）十二月に没した佐七の跡を継いだのは、長久保林蔵であり、前述のとおり同氏が嶺一山講の初代講元となった。その後も長久保家が講元を代々担い、現当主の長久保純一氏は五代目講元を務めている。

8、むすび

嶺村の「御嶽山」は地域の一小祠であったが、一山行者がここを神の示現の地としたことで状況は一変した。つまり、参拝者や講社が集う崇敬神社へと転換が図られたのである。さらに、明治時代に入り、村社に列せられると、地域の氏神としての性格を帯びると共に、別当寺の僧侶が復職し、神職となって祭祀を行ったのである。

嶺地域を中心に展開する嶺一山講は、講社を束ねる先達や講元の存在なくしては成り立たなかった。例えば、峯山妙覚は修行の中心地となった水行堂の再建に尽力し、鈴木常五郎は神社の発展に貢献した横浜・神奈川方面の信者からの帰依を集めたのである。講元の長久保家が経営する田ノ原屋は神社に参拝や修行に来た人々の受け皿となり、人々はこの場所があったからこそ、各自の目的を果たすことができたと言えよう。

嶺の御嶽山は神社だけで成り立ってきたのではなく、当然のことながら関係者や地域住民とともに歴史を歩んできたと言える。現代までに受け継がれてきた神社に関連する資料を読み解くことで、地域の神社と人々のかけがえのない結び付きが浮かび上がってきたのではなかろうか。地域の歴史を後世に伝えていくためにも、これらの資料は確実に継承していく必要があるだろう。

参考文献
・大田区社会教育課社会教育係編『大田区の文化財　第十二集　大田区の民間信仰（念仏・題目・諸信仰編）』（大田区教育委員会、一九七六年）
・大田区史編さん委員会編『大田区史（資料編）民俗』（東京都大田区、一九八三年）

・御嶽神社社務所編『御嶽神社と嶺一山講』（御嶽神社社務所、一九八六年）
・宮田登「嶺の御嶽山と一山行者」（大田区史編さん委員会編『大田の史話　その２』東京都大田区、一九八八年）
・牧野眞一「御嶽行者と御嶽講―一山系の木曽御嶽講―」（西海賢二他編『「浮浪」と「めぐり」―歓待と忌避の境界に生きて―』ポーラ文化研究所、一九九一年）
・靱矢嘉史「御師と神社―武州御嶽山御師の特色―」（武蔵御嶽神社及び御師家古文書学術調査団編『古文書にみる武州御嶽山の歴史』岩田書院、二〇一五年）
・鈴木正崇『山岳信仰―日本文化の根底を探る―』（中央公論新社、二〇一五年）
・大田区立郷土博物館編『嶺の御嶽山と一山行者』（大田区立郷土博物館、二〇一九年）

第2部　資料を読み込むのはおもしろい

6

残されたパーツから歴史を組み立て直す

お上の絵図と地面の下から宿場を探る
――絵画資料と発掘成果からみる東海道品川宿――

寺門雄一

対象地域
東京

1、お上の絵図　「東海道分間延絵図」にみる石積護岸

江戸幕府は、寛政十二年（一八〇〇）五街道とその他の主要街道の調査と絵図作成に取り組み、現地に調査役人、測量や作図の専門家を派遣し、文化三年（一八〇六）に縮尺約一八〇〇分の一の絵図、「五街道分間延絵図《ぶんけんのべえず》」を完成させた。うち東海道のものを「東海道分間延絵図」（以下、「分間延絵図」と記す）という（【写真1】）。「五街道分間延絵図」は道中奉行所の街道管理を目的に作られ、同時に一一代将軍徳川家斉《とくがわいえなり》に献上された。現代、前者のうち一組が郵政博物館に、後者が東京国立博物館に収蔵されている。

「五街道分間延絵図」は、作成者と作成目的、そして作成方法から、街道とその周辺の状況をかなり正確に描写していると考えられる。品川宿（現東京都品川区）の海岸をみると、地域の史料で「浪除石垣《なみよけいしがき》」と記されている石積護岸が築かれている（【写真2】）。石積護岸が「分間延絵図」に描

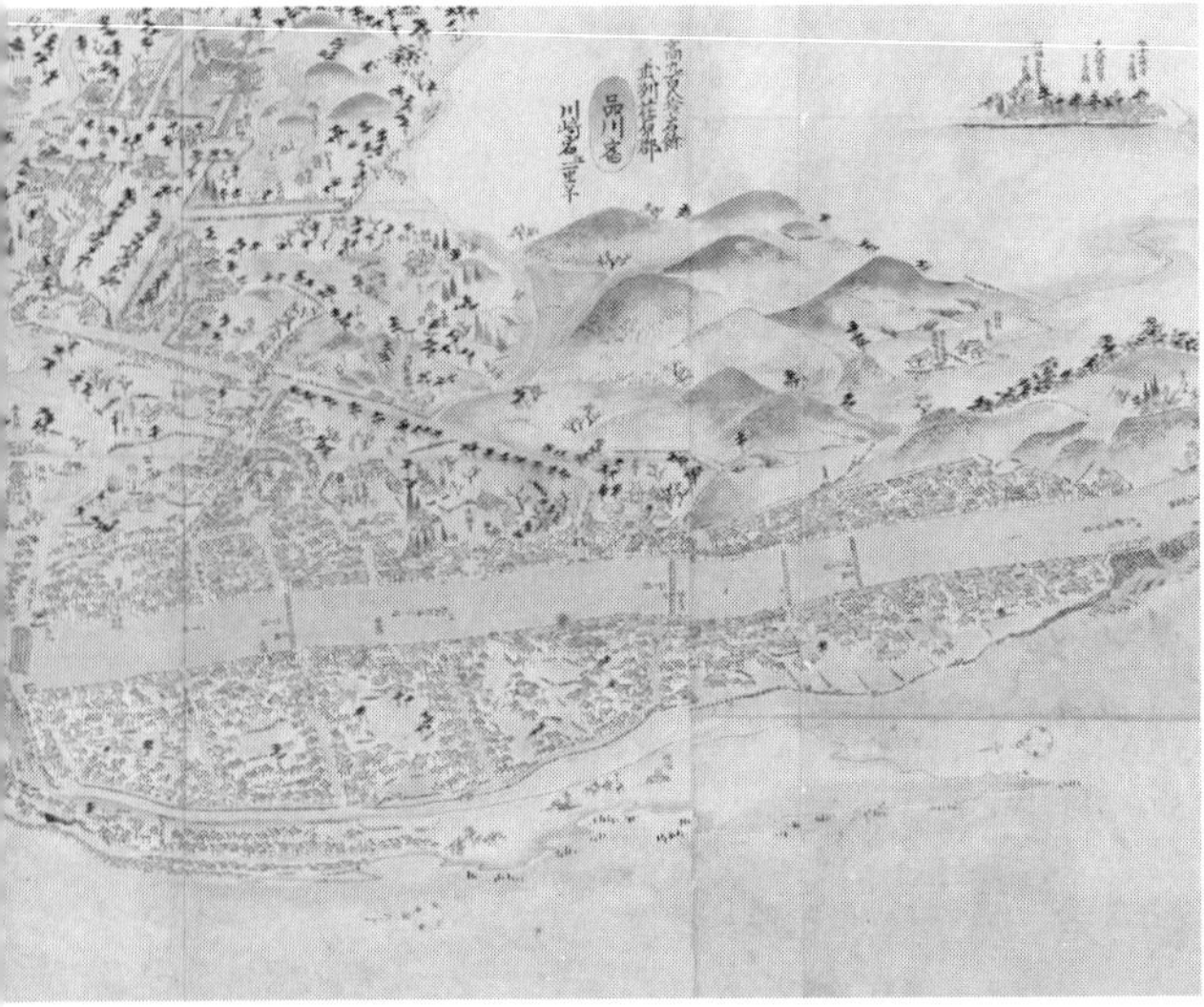
武州荏原郡
品川宿

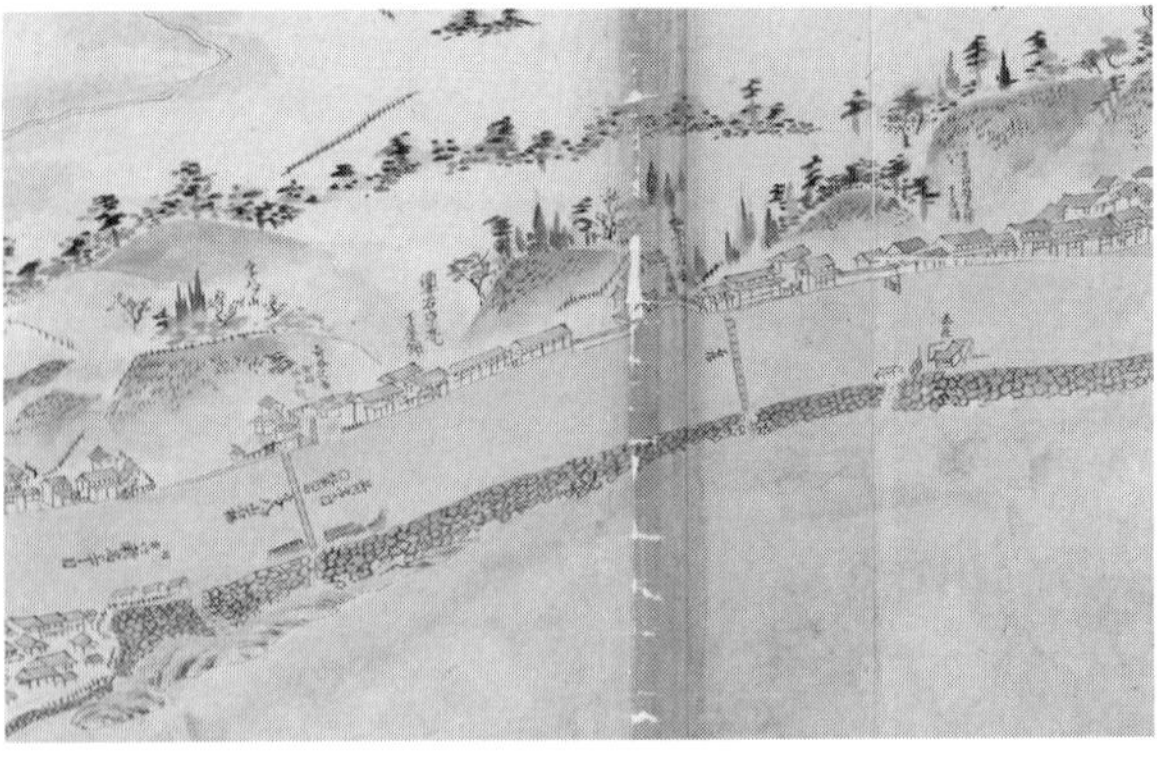

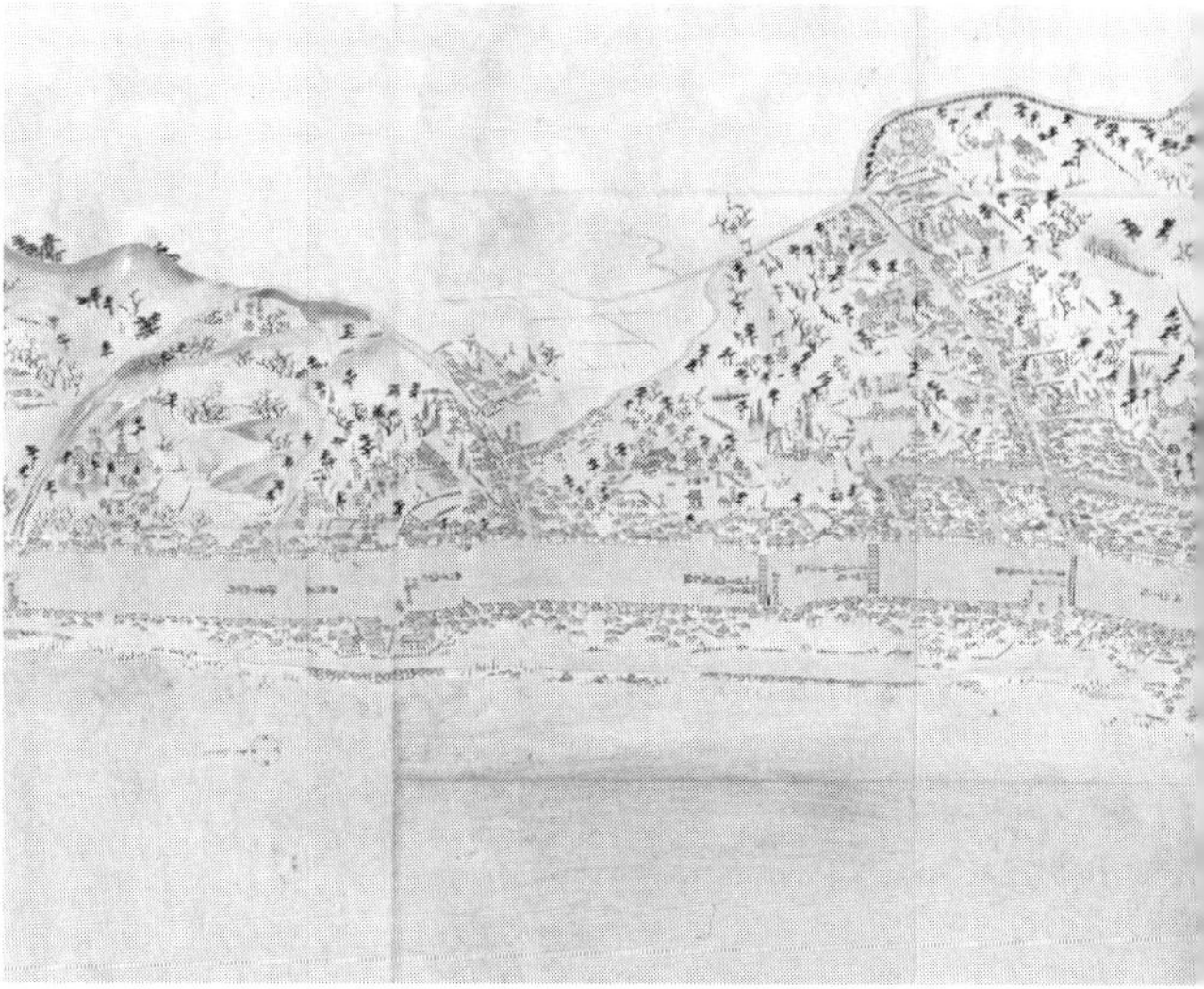

写真１「東海道分間延絵図」の品川宿部分　（郵政博物館蔵）

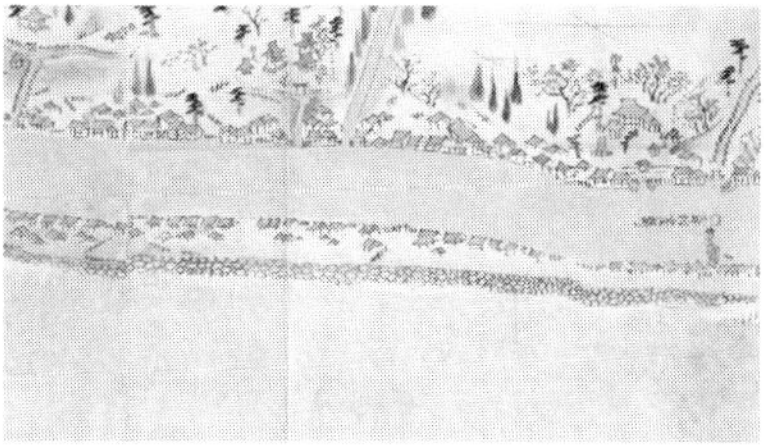

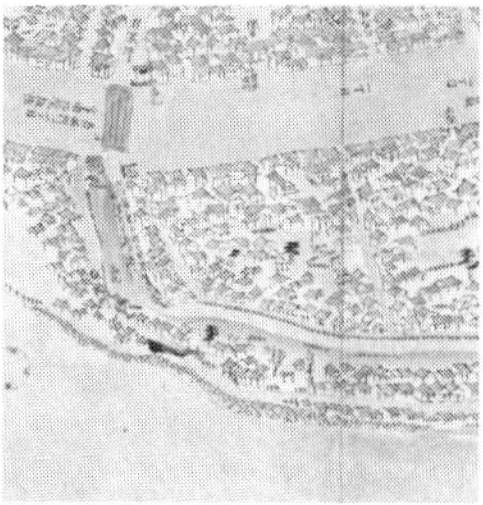

写真２「東海道分間延絵図」にみる
品川宿の石積護岸（郵政博物館蔵）

かれているのは、宮と桑名の船着き場を除けば、高輪《たかなわ》（現東京都港区）から品川宿を通って、その先の大井《おおい》村（現東京都品川区）の間と、その先不入斗《いりやまず》村付近だけである。

2、海は遠くなったが……

かつての品川宿は数度の埋め立てにより海は遠のき、宿場の地先の洲であった天王洲《てんのうず》には高層ビルが建ち並び、その先にも埋立地が広がっている。

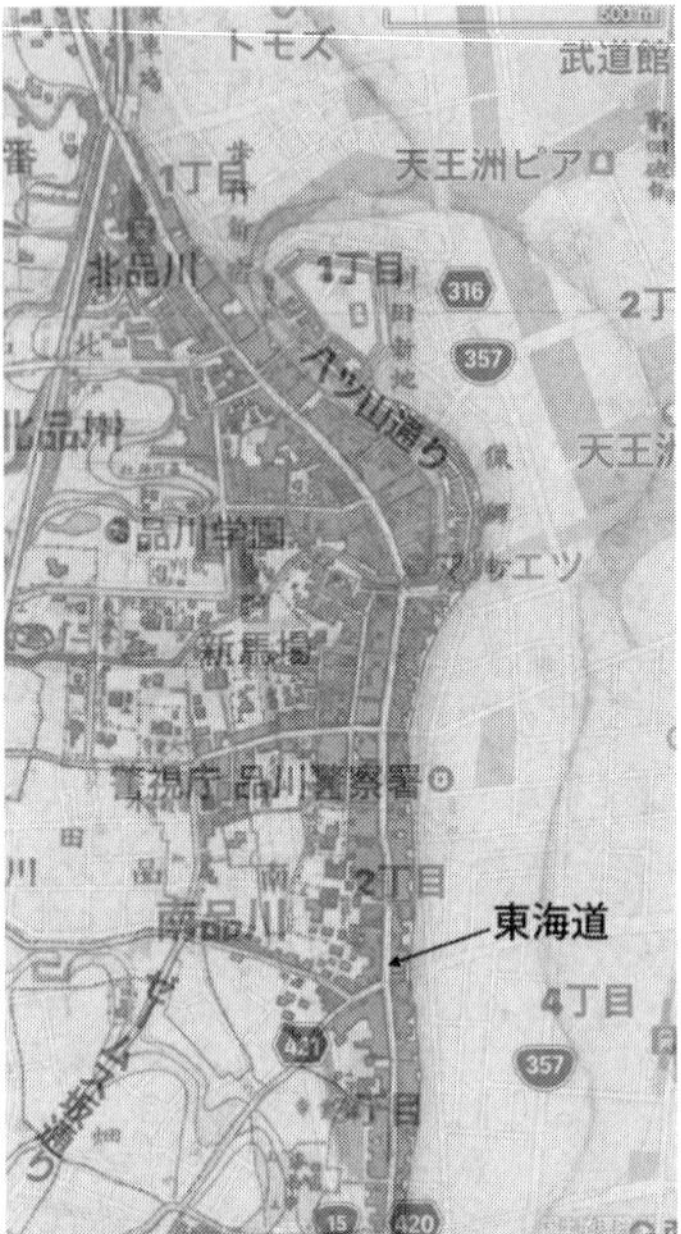

図１　品川宿付近、新旧重ね図（「東京時層地図」の明治12年「迅速測図」と現代の地図を合成し作成）

たとえば、スマホアプリ「東京時層地図」を使えば、江戸時代の海岸線の一部が路地として残っていることが分かる（【図1】）。そこには石積護岸の一部を確認できる場所が数カ所ある（【図2】）。もっとも、建物を建て替える場合、法令により路地を拡幅しなくてはならず、石積護岸の数は年々減少している。そ

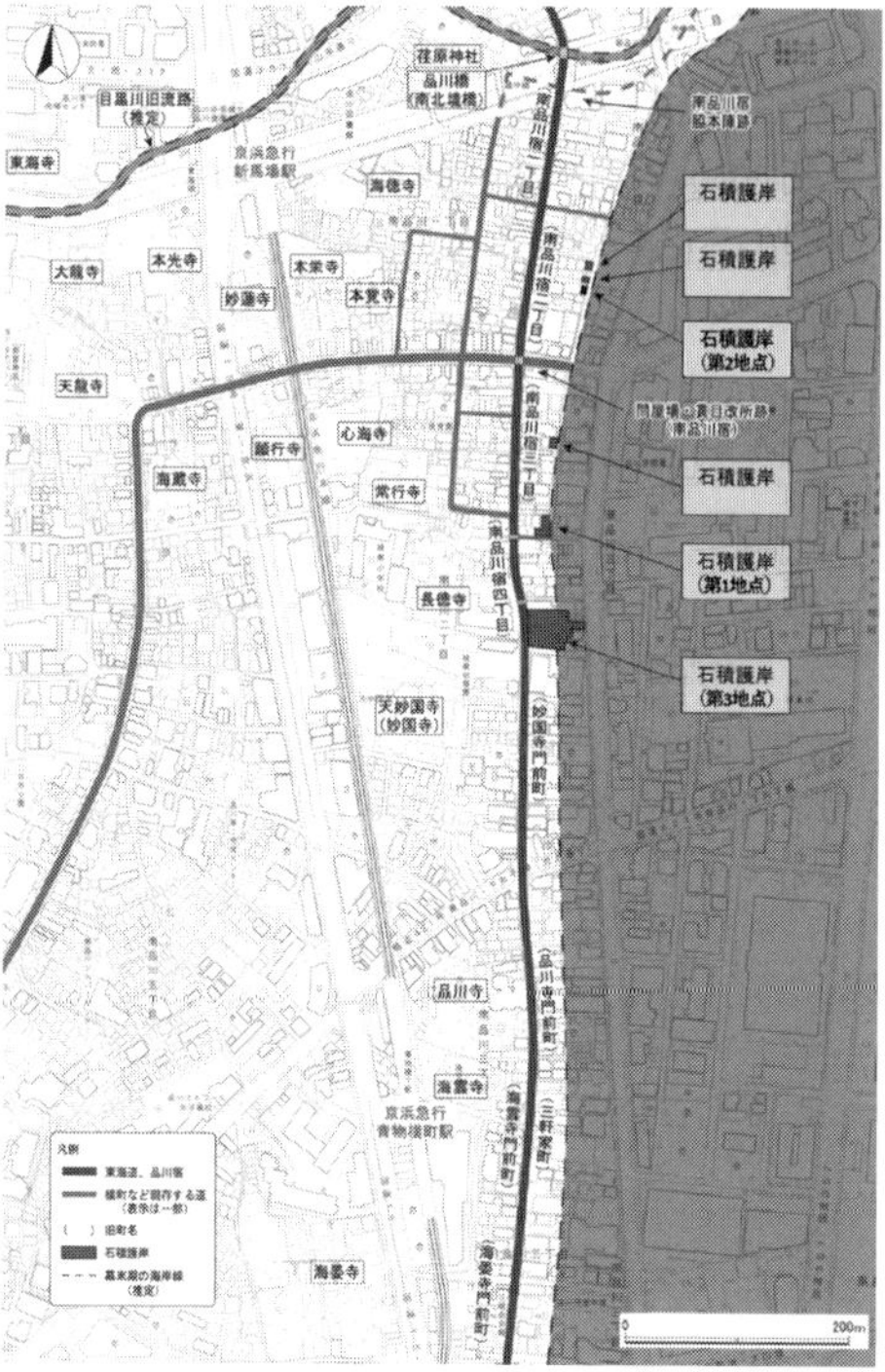

図２　南品川付近の石積護岸（第三地点の確認調査報告書より作成）

のような中、幅一五・三m、高さ一・七〜一・九mと現存最大の石積護岸（第一地点）の上に、新たな住宅が建つことになった。しかし様々な幸運が重なり、海岸側ではほぼ旧来の形で残され現在に至っている。

この石積護岸、向かって右側（北）は三九個の間知石《けんちいし》が二段積まれ、同じような形の間知石一三個が、道路の中から一部顔を出している。間知石は三個が凝灰岩《ぎょうかいがん》、他は安山岩《あんざんがん》の伊豆石《いずいし》である。その上には房州石《ぼうしゅういし》の天端《てんば》石《いし》が一段、さらに房州石の切石《きりいし》が三段積まれている。左手は下

から六～七段、房州石の切石が積まれ、やはりその下の道から房州石が顔を出している。石積護岸の最上段は左手から約三分の二に大谷石《おおやいし》の切石が積まれ、残り三分の一は房州石となっている（【写真３】）。

　伊豆石は伊豆半島周辺で産する石材で、安山岩の伊豆硬石と凝灰岩の伊豆軟石の二種類がある。この石積護岸や江戸城や品川台場の石垣など擁壁《ようへき》に使用されたのは、硬質の伊豆硬石である。以下、この石材を単に伊豆石と記す。房州石はいまの千葉県の鋸山《のこぎりやま》で採掘された凝灰岩の石材で、加工しやすく十九世紀前半から江戸とその近郊で使われはじめた。現在、かつての品川宿で見ることのできる石積護岸は、大部分房州石が積まれたものである。大谷石は、栃木県宇都宮市大谷町で採掘される凝灰岩で、軽く加工しやすい上に、肌合いや色目に味わいがあるため、大正期以降急速に普及した。

　この石積護岸の裏側の構造を探るため、住宅建築前の平成二十八年（二〇一六）発掘調査を行った。すると、伊豆石の部分のみ割石、瓦片、砂質粘土が固く凝固した土丹《どたん》が裏込めとして使われ、それを支えるように固く転圧されたローム土が二m以上の厚さで盛られ、その奥行きは幅七・四mを測り、さらに陸側に続いていた（【写真４】）。品川宿は砂洲の微高地にあたり、地中

写真３　第一地点石積護岸（写真提供：品川区教育委員会）

写真４　第一地点石積護岸裏面の構造（写真提供：品川区教育委員会）

写真５　第一地点石積護岸の伊豆石部分　（写真提供：品川区教育委員会）

にローム層はない。近くても数百m離れた台地の崖面を掘らないとローム土を採ることはできない。大規模な土木普請《ふしん》が行われたことを意味する。またローム土に混ざっていた陶磁器類から、盛土の造成年代は十九世紀前半と推定された。改めて石積護岸の伊豆石部分を見てみると、石と石の間に隙間が多く（【写真5】）、積み直された可能性が高いことが分かる。

3、造り直される石積護岸

実は、品川宿の石積護岸を紹介した【写真2】は、状態のいい箇所を選んだものである。今回取り上げる三箇所の石積護岸周辺を「分間延絵図」（【写真6】）はこのように描いている。満ち潮の時であろうか、石積護岸は半分以上崩れ落ち、残った部分も海に浮かぶように立っている。【表1】が示すように、石積護岸は短い間に破損と普請を繰り返している記録が残されている。

普請が重ねられた状況を第二地点でみることができる。路地に沿って造られているこの護岸の大部分は房州石の切石でできており、幅九・

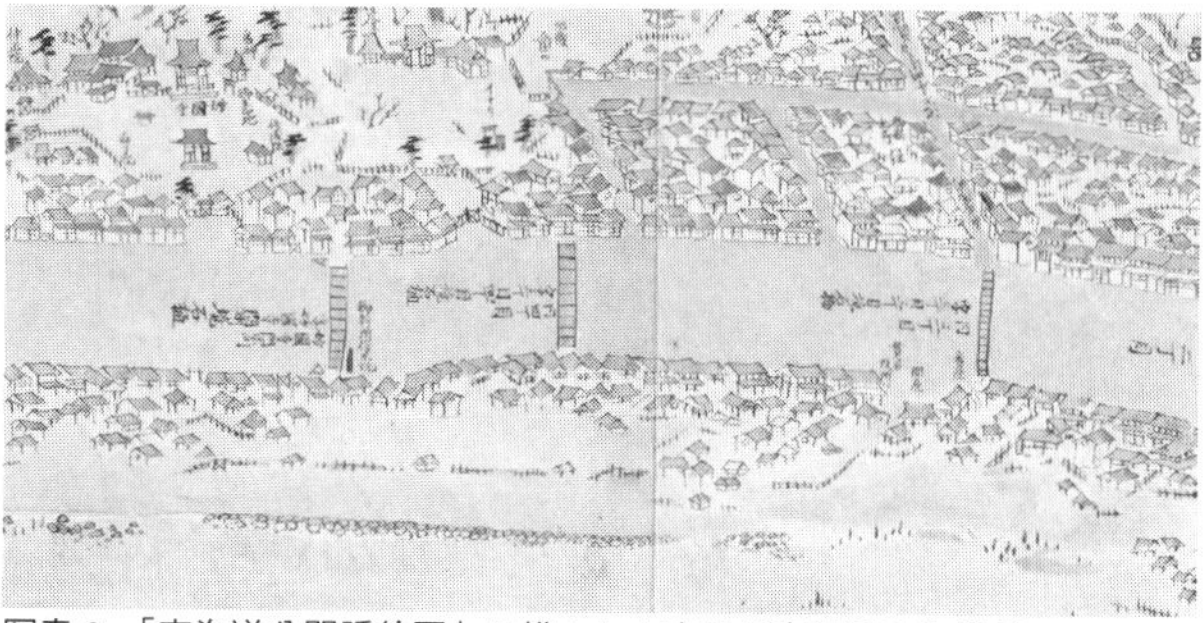

写真6　「東海道分間延絵図」に描かれた南品川宿付近の海岸線（郵政博物館蔵）

一五m、高さ八四~九三cmを測る（【写真7】）。護岸の内側には事業所の建物が建ち、その敷地は東海道に面し、護岸はその一番奥にあたり、護岸の天端《てんば》が地表面となっていた。社屋の建て替えにより石積護岸を壊さざる得なくなったため、平成三十一年（二〇一九）四月、護岸背面（陸側）の発掘調査を実施した。

道路境、つまり石積護岸の表面から五〇cm奥、深さ八六cmの位置で伊豆石の間知石による石積護岸を検出した。そこから一・七m奥に、石積護岸を支える胴木や裏込めが確認された。間知石は見つからず、海側の護岸に転用されたと推測される。さらにその奥、〇・七~二・三mに伊豆石の間知石による

写真7　第二地点石積護岸（写真提供：品川区教育委員会）

表１　品川宿石積護岸の築造・破損・普請記録（一部）

年	事項
承応年中（1652〜55）	石垣を芝牛町から品川宿の入口までの海岸に築く
明暦元年（1655）	品川の護岸破損
この間も、破損・補修あり	
享保19年（1734）	以降の自普請を前提に、地元に今後の普請費用を含め二千両下付
享保20年（1735）	破損・普請
不明	破損・普請（2回）
元文4年（1739）	破損・普請
	※享保19年以来4度の破損で資金不足のため下付を求め、許可される
寛保2年（1742）	破損・普請
延享元年（1744）	破損・普請
寛政7年（1975）	南品川分　普請
享和3年（1803）	南品川猟師町　代官普請

『諸家深秘陸』「品川海辺御普請所古文書」（『品川町史』上巻）などから作成

護岸が確認された。この護岸は海岸に直行する向きにあり、舟入《ふないれ》や荷上場だったと考えられる（【写真8】）。三箇所の遺構から、石積護岸を造り直すたびに海側に少しずつ土地を広げていったことが分かる。

出土遺物を見ると、一番奥の護岸の裏込めからヨーロッパ産磁器皿やワインボトルが出土しており、護岸が作られはじめたのは、早くても安政六年（一八五九）の横浜開港後と考えられる。三箇所の護岸とも、裏込めから明らかに近代に作られた遺物は出土しておらず、極めて短い期間に護岸の作り直しが行われたといえよう。この地点は文化五年（一八〇八）に修理したとの記録がある。その後も普請を繰り返したことが、今回の発掘調査から明らかになった。

4、完璧な石積護岸が出てきたが……食い違う史料と史料

写真8　第二地点石積護岸調査　完掘状況（写真提供：品川区教育委員会）

品川には寺院が多く、いくつもの門前（町）が存在した。そのひとつ南品川妙国寺《みょうこくじ》門前《もんぜん》で、江戸時代中期から米穀商を手広く営んだ宮川家の店舗兼屋敷跡を、平成三十年（二〇一八）二月に発掘調査し、第一地点のほぼ延長線にある地点の地下一・一五m（標高二・五m）の場所から伊豆石の石積護岸を検出した（【写真9】）。石積は五段まで検出でき、その高さは一・五mとなる。さらに水中にもう二段あるところまで確認できた。石積の背面には自然礫《れき》と土丹、ロームブロックが詰められ、それを支えるように固く転圧されたローム土が背後に盛られ（【写真10】）、その長さ（奥行き）は一二・三mにおよぶ（【図3】）。いち地点という条件は付くものの、品川宿の石積護岸の裏込めの

写真9　第三地点石積護岸検出状況（写真提供：品川区教育委員会）

写真10　第三地点石積護岸の裏面（写真提供:品川区教育委員会）

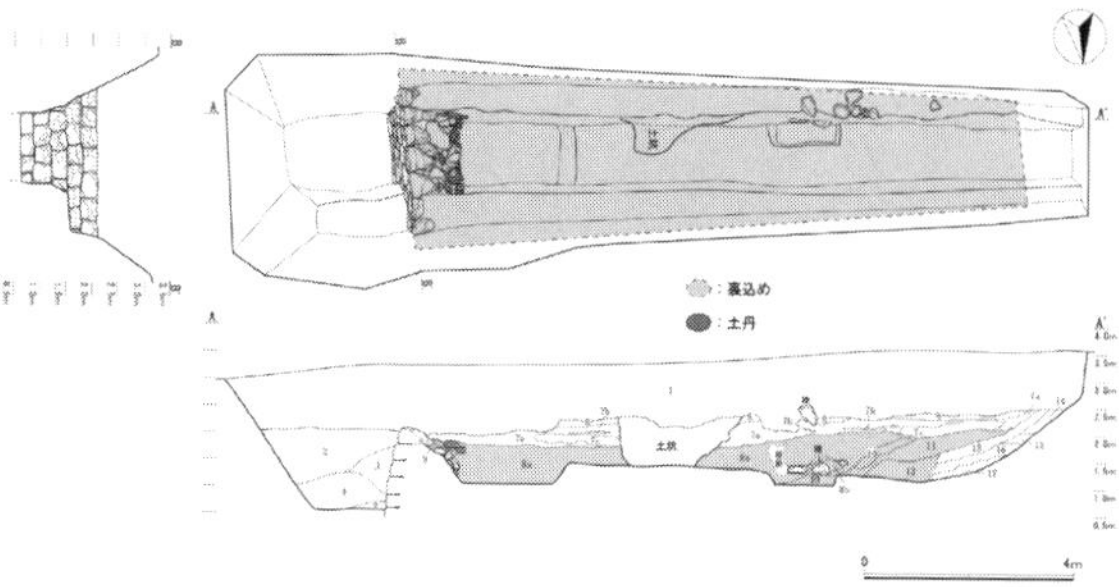

図3　第三地点石積護岸平断面図（品川区教育委員会）

規模が明らかになった。裏込めおよび盛土中から出土した遺物は、十七世紀中葉から十九世紀中葉までのもので、近代の遺物は基本的に確認されなかった。護岸の石に組み替えた跡がなく、施工法も旧来のものであるため、近世に築かれた無垢《むく》な石積護岸とするのが妥当であろう。

ここで新たな問題が生じた。

北品川宿名主宇田川《うだがわ》家に伝わり、天保年間中頃（一八三〇年代半ば）以降の品川宿の様子を描いた「品川宿絵図」（【写真11】）には、妙国寺門前の海岸の部分のみ石積護岸がない。天保十四年（一八四三）、北品川宿から大森三ヶ村までの一一宿町村が、それぞれの石積護岸普請の受け持ち範囲を記し、代官所に差し出した文書の写しである「品川宿入口より六郷川端迄《ろくごうかわばたまで》往還附明細帳《おうかんづけめいさいちょう》」（「宇田川家文書」）には、妙国寺門前の普請を担当する宿町村はなく、妙国寺門前もその一一宿町村には入っていない。だが「分間延絵図」には【写真6】の左下にあるように、南品川宿と妙国寺門前をまたぐような形で石積護岸が描かれ、その他にも崩

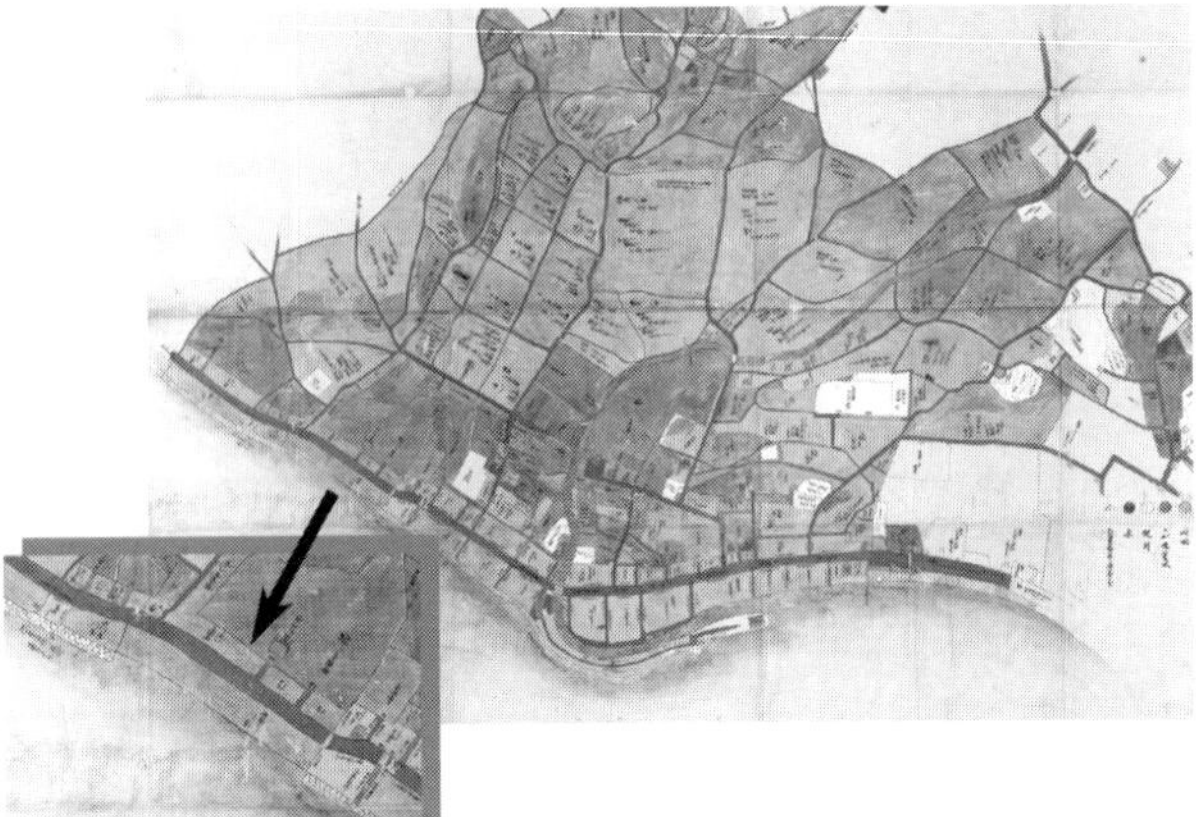

写真11　「品川宿絵図」（妙国寺門前部分を絵図外に拡大）（宇田川家蔵、品川歴史館受託「宇田川家文書」より）

れた護岸が確認できる。

　史料の性格を考えてみよう。「分間延絵図」は前述のように道中奉行所が実務のために作成したものである。現実を正確に描くことが求められる。石積護岸のように街道の維持に不可欠な施設であればなおさらであろう。それに対して「品川宿絵図」は、石積護岸が綻《ほころ》びもなく、あり得べき姿で描かれている。妙国寺門前を除けばであるが……。この絵図は、北品川宿の名主の立場で宿の「よそ行きの姿」を描いたもので、代官所に提出したものの写しではないだろうか。

　南品川の名主利田《かがた》家の文書に、安政二年（一八五五）の大雨・高波による石積護岸の被害状況をまとめ代官所に提出した絵図の写しがある。各箇所の被害状況が詳細にまとめられる中、妙国寺門前の海岸には「妙国寺門前ノ義（儀）ハ、御朱印地ニ付、御普請場ニ無御座候《ござなくそうろう》」と、幕府から妙国寺にあてがわれた土地（朱印地）なので代官の普請ないしは助成の対象外であると書かれている（【写真12】）。文化元年（一八〇四）に作成され、「御分間絵図面御用」の副題が付いた「宿方《しゅくかた》明細書書上帳」（「利田家文書」）には、

　品川寺《ほんせんじ》門前境より南品川宿境迄
　一　同　断（筆者註：海辺浪除石垣）　長百四拾四間　妙国寺門前
　　右は自普請所ニ御座候

とある。それを受けて天保十四年（一九四三）頃成立した「東海道宿村大概帳」にも、

　品川寺門前境より南北品川宿境迄
　海辺
　　一、浪除石垣百四拾四間
　　　是ハ自普請仕来、

と記されており、妙国寺門前にも石積護岸があったことが読み取れる。なお、片方の境に両史料

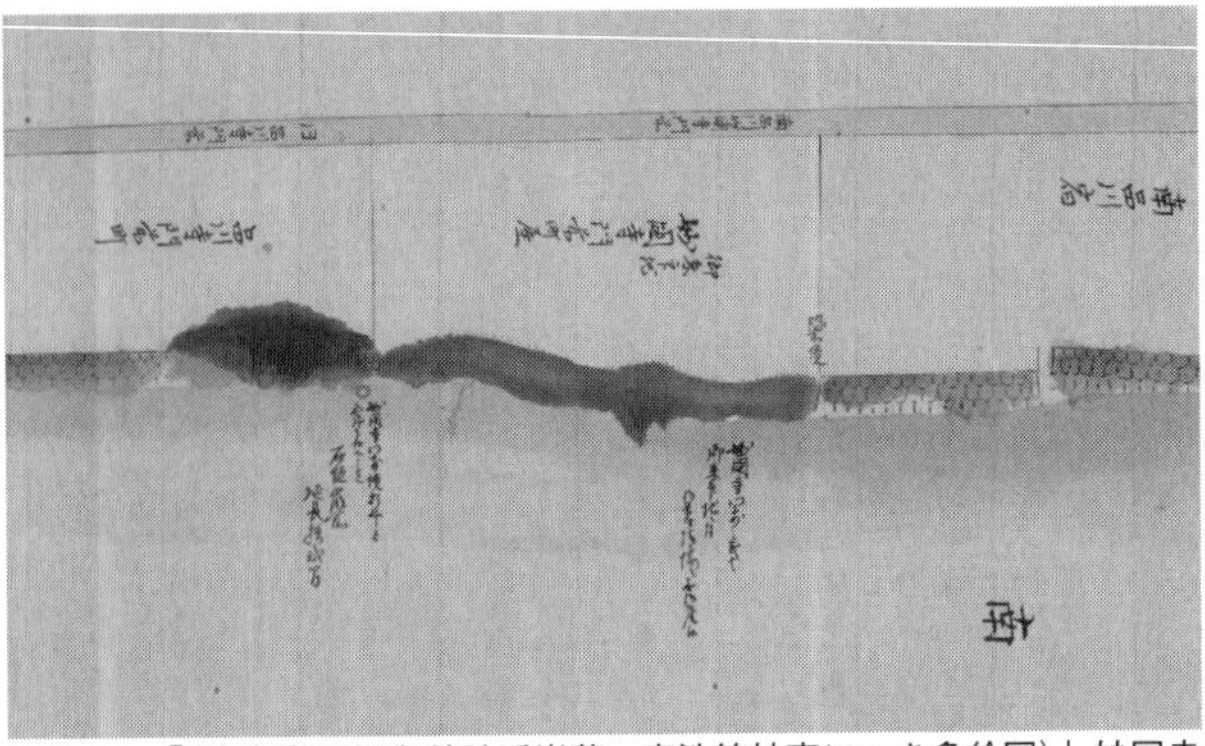

写真 12 「（東海道石垣御普請所崩落・裏洗等被害につき麁絵図）」妙国寺門前部分拡大（立正大学蔵・品川歴史館保管「利田家文書」より）

で差異があるが、「宿方明細書書上帳」で東海道に面する長さを記した箇所に「同妙国寺門前（中略）東側百四十四間」とあり、「東海道宿村大概帳」の「南北品川境」は誤記と考えられる。

「分間延絵図」と発掘結果が示すように、妙国寺門前に石積護岸は実在した。妙国寺門前の海岸は朱印地なので、妙国寺の責任で同門前町が管理する。代官の所管ではないため、他の宿町村のように護岸の維持修理、破損状況を代官に届けたり、普請の時に費用の援助を求めたりする立場にはなかった。よって、それに関係する文書や絵図に妙国寺門前の石積護岸への言及はない。しかし、宿全体の現況をまとめる際は、妙国寺門前の護岸についても記述する必要があった。「宿方明細書書上帳」は、普請役、勘定等、「分間延絵図」制作担当者に充てられている。

5、おわりに

写真13　竹内重雄画「鮫洲漁師町（お林町）（大正三年）」（品川歴史館蔵）

品川宿の南、浜川（現品川区東大井）に住んでいた竹内重雄（一九一〇～一九八七）は、長年地域の風景や風俗をスケッチし続けた。昭和四十年代（一九六六～一九七五）の終わり頃から、子どもだった大正時代に描きためたスケッチをもとに、水彩画を描き出した。その中の一枚、浜川と南品川の間にあり、江戸時代以来の漁師町であった鮫洲《さめず》を描いた「鮫洲漁師町（お林町）（大正三年）」（【写真13】）には、石積護岸がしっかりと描かれている。維新から半世紀近く経ても現役の護岸である。また家屋の造りも近世を色濃く残している。いまやその街並みは大きく変わり、この絵の海はすべて埋め立てられ、石積護岸の多くは地面の下で眠りについている。

本章では、埋蔵文化財調査の成果、絵図、そして古文書から、近世品川宿の石積護岸について考察した。歴史学は、人びとの失われた営為を、残されたわずかなパーツをもとに組み立て直すことの積み重ねだと思う。パーツの数と種類は多い方がいい。しかし、最後は蓄積された知識と観察眼、そして想像力が決め手となる。時には見立てを誤る時もある。でも、それは無駄ではない。失われたものは存在しないのだから、それを手に入れることではなく、そこに至る道筋を考え抜くことに、この学問の醍醐味があると考える。

参考文献

・品川町役場『品川町史』上巻（一九三二年）
・品川歴史館『品川歴史館資料目録―竹内重雄　大正スケッチ―』（一九九五年）
・品川区教育委員会『平成九年度　品川区文化財調査報告書』（一九九八年）
・木下良、武部健一、大澤聡「近世東海道の道路延長と一里塚の尺度について」（『土木史研究　講演集』Vol.二四、二〇〇四年）
・杉山正司「『五街道分間延絵図』と『宿村大概帳』の制作」（『郵政博物館　研究紀要』六号、二〇一五年）
・品川区立品川歴史館『開館三十周年記念特別展　東海道品川宿』（二〇一五年）
・冨川武史「東海道品川宿石積護岸の形成と展開―近世における石垣構築技術継承実態の検討―」（『品川歴史館紀要』第三一号、二〇一六年）

〔付記〕本稿執筆にあたり、貴重な示唆を頂戴するとともに史料掲載に便宜を図っていただいた冨川武史氏と、発掘調査の際に様々なご教示を下さった考古学を専門とする多くの方々に、心よりお礼申し上げます。ありがとうございました。

7

歴史の虚像はどう作られてきたか

大木戸《おおきど》はあったのか
――地域の歴史を読み直す――

中村陽平

対象地域
東京

1、はじめに

東海道高輪《とうかいどうたかなわ》・甲州道中四谷《こうしゅうどうちゅうよつや》には、江戸の治安維持や人馬改《じんばあらため》のために、石畳や石垣を用いた巨大な木戸、すなわち大木戸が設けられていたことが知られている。大木戸の存在が確認されているのはこの二ヶ所のみであるが、中山道板橋宿《なかせんどういたばししゅく》にも大木戸が設置されたとする出版物等が散見される。しかし、板橋宿大木戸の存在にはさまざまな面から疑問が残る。そこで従来述べられてきた板橋宿大木戸について検討し、その存在の有無を明らかにしていこう。

2、板橋宿大木戸の記録はあるのか

さて、板橋宿大木戸とはいかなるものであろうか。板橋宿に大木戸が設置されたとする文献を紐解くと、古くは大正十三年（一九二四）に刊行された『板橋町誌』（以下、『町誌』とする）までさかのぼる。本書では、「上宿《かみしゅく》には大木戸を設け旅客を点検して不逞《ふてい》の徒を取締りたるは、府内他の三宿と共に頗《すこぶ》る厳格なりき。下板橋宿の大木戸は幕末の頃は安藤対馬守《あんどうつしまのかみ》の管理に属し其の番所に槍、差叉《さすまた》、袖搦《そでがら》みは勿論当時の武器を備え、目付《めつけ》として士分以上のもの十余人常に監視し居たり」と、板橋宿に大木戸が設けられ厳格な取締りをしたとする。さらに、『板橋区史』（旧版、一九五四年）では『町誌』に準じた記述をとりつつも、「板橋宿の大木戸は、上宿の中央岩《いわ》の坂《さか》上にあって」と、大木戸が板橋宿上宿の端「岩の坂上」に設けられたとする。大木戸の設置箇所については諸説あるが、いずれも上宿岩の坂近辺に設置されたとされ、こうした記述は以降刊行の一般書に留まらず、自治体が刊行した『板橋区史』（新版、民俗編、一九九七年）などにも踏襲され、現在では板橋宿に高輪、四谷相当の大木戸があったと広く紹介されるに至っている。

　では、この大木戸の存在は、どのような史料に基づき叙述されたものなのであろうか。結論から述べると、実は板橋宿大木戸は史料に裏付けされたものではない。幕令や江戸幕府が編纂した地誌「新編武蔵風土記稿《しんぺんむさしふどきこう》」など基礎的史料のほか、周辺の地方文書《じかたもんじょ》（村に残される古文書）、「中山《なかせん》道分間延絵図《どうぶんけんのべえず》」などの絵図や紀行文にも大木戸は全く確認することができないのである。

　つまり板橋宿大木戸とは、大正年間の『町誌』の記述を嚆矢《こうし》とし、現在に至るまでさまざまな文献に引用、拡大解釈されるなかで作り上げられた虚構の産物ということになる。では『町誌』では、なぜ大木戸の記述がなされたのであろうか。板橋宿の歴史を俯瞰《ふかん》し、起因となった『町誌』

が述べる大木戸の姿を探っていこう。

3、板橋宿の木戸を考える——和宮下向時の木戸

板橋宿大木戸の存在を考える上で、まずは板橋宿の木戸について確認しておきたい。

文久元年（一八六一）、和宮親子《かずのみやちかこ》内親王が一四代将軍徳川家茂《とくがわいえもち》への降嫁《こうか》のため中山道を江戸に下る。板橋宿では和宮下向《げこう》の際、板橋宿中宿の名主・脇本陣を務めた飯田宇兵衛《いいだうへえ》家を宿所としたことから、当家には和宮下向に関する記録類が伝わっている。そのなかに「木戸」の文言が記された史料が残されている（【写真1】、〔和宮下向御用留〕板橋区立郷土資料館所蔵）。

板橋宿《いたばししゅく》

前野村境《まえのむらざかい》より木戸際《きどぎわ》まで

一《ひとつ》、往還上置長《おうかんうわおきなが》さ四拾四間《よんじゅうよんけん》　平均《へいきん》　横弐間《よこにけん》

高壱尺《たかさいっしゃく》

砂利敷長《じゃりじきなが》さ同断《どうだん》　平均　巾九尺《はばきゅうしゃく》

厚《あつさ》　弐寸《にすん》

木戸際《きどぎわ》より石橋《いしばし》まで

一、同長《どうなが》さ百三拾間《ひゃくさんじゅっけん》　平均　横二間《よこにけん》
　　　高五寸《たかさごすん》
　砂利敷長《じゃりじきなが》さ同断《どうだん》　平均　巾九尺《はばきゅうしゃく》
　　　厚弐寸《あつさにすん》

（後略）

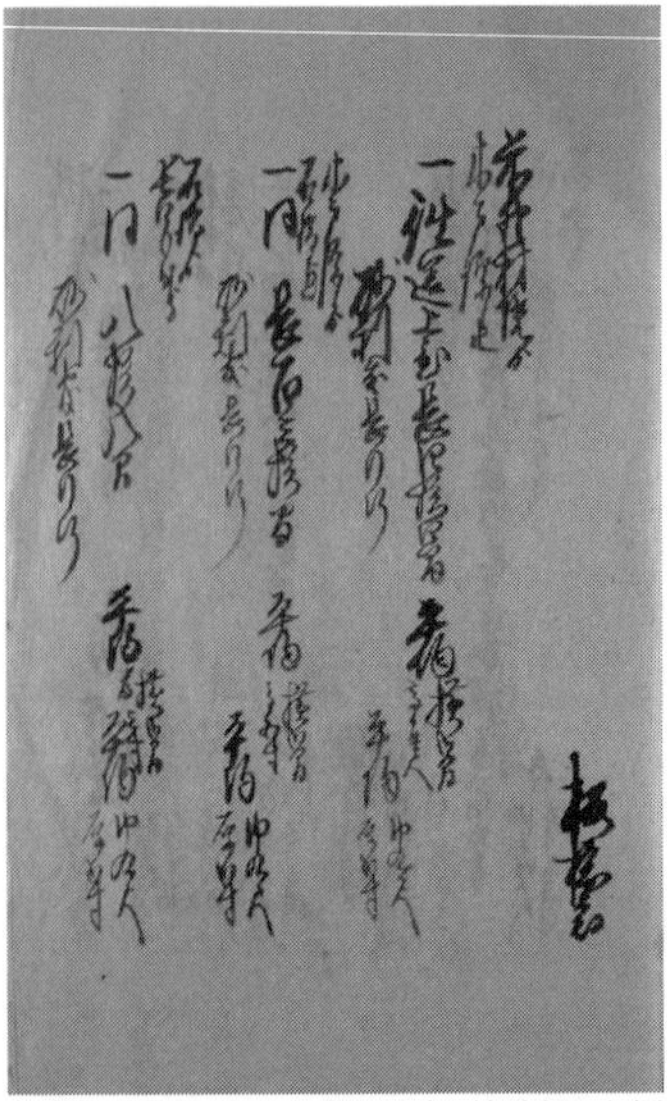

写真１〔和宮下向御用留〕（板橋区立郷土資料館所蔵）

和宮下向の際、宿場では宿内の普請《ふしん》や宿内往還への土・砂利敷普請が申しつけられる。本史料はこの往還普請の距離や範囲などを記したものだが、この範囲に「前野村境より木戸際まで」「木戸際より石橋まで」と地名と「木戸際」の記載が見える。ではこの木戸は宿並のどこにあたるのであろうか。「前野村境」「石橋」両者が示す範囲の距離を計測し、現在の地図に落とし込むと「木戸際」の場所は、宿場の端、岩の坂上に所在した

写真２　板橋宿上宿木戸推定地（2020 年 8 月、筆者撮影）

旗本《はたもと》近藤家の抱《かかえ》屋敷《やしき》地脇（東京都板橋区本町三五付近）に該当する。本史料からは当時、実際に木戸が設置されていたか、またその規模は不明であるが、従来大木戸が置かれたとされる岩の坂が「木戸際」と称されていたことは注目される事実である（【写真２】）。

では、岩の坂に木戸が存在していた点を踏まえたうえで和宮下向時、板橋宿内に臨時に設置された木戸や番所の姿を確認しておきたい。和宮下向時、宿内は警衛のためさまざまな施設の普請がおこなわれる。具体的には、上宿岩の坂下・平尾（板橋宿下宿）出口・高田道入口・川越街道入口に木戸、張番所《はりばんしょ》が設置され、不要な小道や空き地は板囲いや小木戸で締め切られ、ほかに溜《たま》り番所が一五ヶ所設けられている（『和宮下向御用留』板橋区立郷土資料館所蔵）。

小稿で注目したい点は、このとき上宿岩の坂下に木戸・番所が設置されていることである。仮に板橋宿大木戸が岩の坂に既設されているのであれば、こうした木戸の新設は不要であろう。少なくとも文久元年の和宮下向時には、板橋宿には大木戸と称するものは置かれていなかった。そしてもう一点注目したいのが『町誌』に記される「安藤対馬守」についてである。よく知られている通り、和宮降嫁は当時幕府老中であった安藤信正《あんどうのぶまさ》（対馬守）が公武合体政策《こうぶがったいせいさく》の一つとして推進したものである。つまり『町誌』が述べる「安藤対馬守の管理」、「厳格な取締り」とは平時の状況ではなく、和宮下向時の宿内の情勢や木戸設置のことを示しているとも捉えられる。

4、板橋宿における幕末の関門・番所設置

次に幕末に板橋宿に設置された「関門《かんもん》」から板橋宿の木戸の問題を検討してみたい。

幕末、開港にともなう横浜外国人居留地周辺の治安維持や水戸藩浪士《ろうし》対策などのため、江戸市中や江戸四宿《えどししゅく》（品川宿、千住宿、内藤新宿、板橋宿）、横浜、北関東などには関門や見張番所と呼ばれる警衛施設が設置されていく。

具体的には、和宮降嫁の二年後、文久三年（一八六三）、朝廷の攘夷《じょうい》要求により将軍家茂が上洛《じょうらく》した際、江戸の治安維持のため、板橋宿をはじめ江戸近郊地域へ非常警衛が申し渡される。例えば、文久三年八月晦日には諸大名や旗本に板橋宿や川越街道上板橋《かみいたばし》宿の警固を命じている（『幕末御触《ばくまつおふれ》書集成《がきしゅうせい》』五四九五）。そして、江戸四宿、または御府内出入口近辺では屯所《とんしょ》、柵・門（関門）などの

設置見分がなされ、板橋宿には関門が設けられた。そしてこの関門通行のためには、事前に届け出た印鑑の照合をおこない、通行許可となった場合は鑑札《かんさつ》が渡された（『幕末御触書集成』一七一七）。

その後、幕末の情勢にあわせ、関門は設置箇所の見直しや廃止となる。しかし、慶応三年（一八六七）十二月、いわゆる王政復古《おうせいふっこ》の大号令《だいごうれい》、小御所会議《こごしょかいぎ》にともなう徳川慶喜《とくがわよしのぶ》への厳罰、辞官《じかん》納地《のうち》などの決定により、新政府軍と旧幕府軍の武力抗戦が明らかとなると、旧幕府方は新政府軍の進行を防ぐため、板橋宿ほか江戸四宿に対して関門を再び設置する。このときの関門はおおよそ次の通り運用された（『幕末御触書集成』一七三三）。

①士分の者は主人や重役より行き先、人数の断り書きを、百姓・町人は役人の添書を持参しなければ通行禁止。

②書類は関門で改め、疑いが無い場合は鑑札を渡す。

③関門通過後に鑑札未所持の者は御府内、道中ともに旅宿禁止。

④関門の改めを受けず、無理矢理通行する者、鑑札未所持の者は召し捕らえ、手向きの者は切り捨てる。

文久期の関門に比べると急を要するためか、印鑑の照合はせず、鑑札の確認のみとなっているが、厳格な取り締まりがなされたことが分かる。この関門の運用は、板橋宿も同様であったと考えられるが、では肝心の関門は宿内のどこに設けられたのであろうか。板橋宿名主・脇本陣飯田家の慶応四年の公私日記には次の通り記されている（〔公私日記〕板橋区立郷土資料館所蔵）。

一、関門《かんもん》御《お》取建場《とりたてば》、平尾《ひらお》廻方《まわりかた》清水屋《しみずや》権十郎《ごんじゅうろう》門脇《かどわき》、上手《かみて》の方《かた》、先年《せんねん》の跡《あと》木戸際《きどぎわ》の事《こと》

ここから板橋宿では、関門が「平尾廻方」（下宿）と「上手の方」（上宿）二ヶ所に設置されたことが判明する。さらに上宿は「先年の跡木戸際」とあることから、先に見た岩の坂上の木戸際に設けられたこと、加えて文久三年から慶応三年七月まで運用された関門も同地点に置かれたことが明らかとなる。和宮下向時と同様に、当時も上宿には大木戸と言えるものは認められず、岩の坂木戸際に新たに関門が設置され、通行人の検閲がおこなわれた。

5、板橋宿大木戸の正体

従来、板橋宿には大木戸が存在するとされてきたが、古文書や絵図、地誌などからは、大木戸の存在を確認することはできない。しかし、見てきたように、板橋宿では文久年間、和宮下向の前後から慶応年間にかけて恒常的に木戸や関門、番所が設置され、取り締まりがおこなわれていた。そしてそれら番所や関門が置かれた場所は、従来大木戸の設置箇所とされた「岩の坂」と合致している。

つまり『町誌』がいう板橋宿の大木戸とは、幕末期の板橋宿の情勢によって一時的に設けられた木戸や関門のことを指しているものと考えられる。その後、『町誌』にさまざまな尾ひれがつき、あたかも板橋宿には高輪、四谷相当の大木戸が存在したと認識されるようになったものとみられるのである。これが板橋宿大木戸の正体である。

小稿は地域で語られてきた歴史を否定するものではないが、地域の資史料を丹念に読み解くことで、地域で通説とされてきた事象に対し新たな視点を与えられる、そうした一事例である。

参考文献

・山田元礼『板橋町誌』（板橋新聞社、一九二四年）
・渡辺和敏「幕末における江戸周辺の関門」（『法政史論』三号、一九七六年）
・桜井昭男「文久期における江戸北東地域の見張番屋体制について」（『葦のみち』一九号、二〇〇七年）
・中村陽平「板橋宿の木戸・関門についての一考察」（『郷土資料館紀要』一八号、二〇一一年）
・下野寛介「境界から関門へ—江戸四宿の変化からみた首都性」（大石学編『近世首都論』岩田書院、二〇一三年）

8

地誌の編さん過程から何がわかるか

地域を再認識する地誌の編さん
——都城島津家の人々と「庄内地理志」——

山下真一

対象地域
宮崎

1、地誌とは

地誌《ちし》とは、ある一定の地域の地理・文物・風俗を記した書物の総称である。近世の地誌編さん事業については、幕藩領主たちが、自らが治める地域を把握するために実施するもので、極めて「政治的」なものとされる。鹿児島藩でも『薩藩名勝志《さっぱんめいしょうし》』や『三国名勝図会《さんごくめいしょうずえ》』といった地誌を編さんしている。その内容は、対象となる地域の歴史や由緒、領主や役人等の変遷のほか、地域の名所・旧跡、土産・風土等で、あらゆるものが記録されていた。

　本来、幕藩領主によって編さんされた地誌は、必ずしも刊行・公開を意図したものではなかった。しかし、その編さん過程には多くの人々の協力があり、それらを通して得られた情報が、編さんに関わった人々、領主と領民の間に共有されることになったのではないだろうか。そこで、ここでは鹿児島藩島津《しまづ》家の家臣で都城《みやこのじょう》（宮崎県都城市の大部分と宮崎県北諸県《きたもろかた》郡三股町《みまたちょう》の一部）を領主と

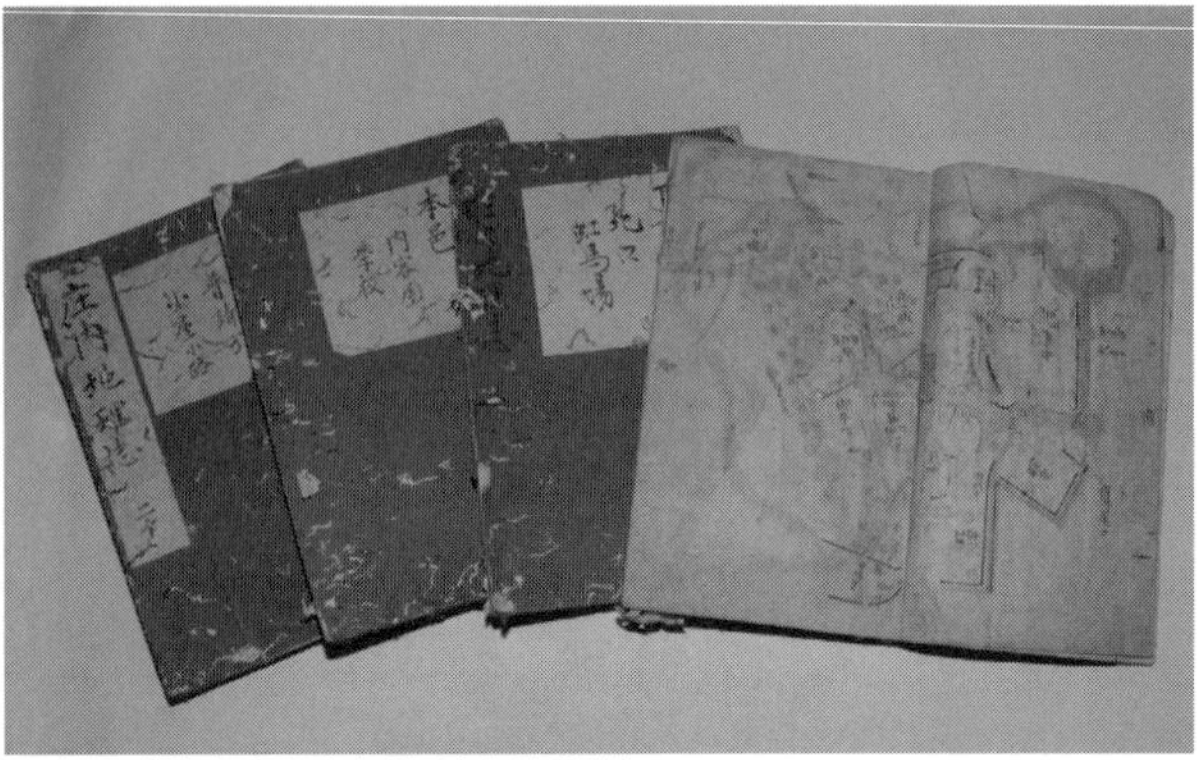

写真１　「庄内地理志」（都城島津邸蔵）

して治めていた都城島津家による地誌「庄内《しょうない》地理志《ちりし》」（【写真1】）の編さん過程についてみていくことにしたい。

2、「庄内地理志」と地域の歴史

都城島津氏は、近世後期に全一一三巻からなる地誌「庄内地理志」を編さんしたが、この「庄内」とは何を意味するのであろうか。現在の都城市は宮崎県の南西端に位置しており、西は霧島《きりしま》山地、東は鰐塚《わにつか》山地に囲まれた広大な都城盆地の中にある。都城は「島津発祥の地」と呼ばれ、「島《しま》津荘《づのしょう》」が成立した拠点であり、島津家の名字の由来となった場所でもある。こうした歴史から、近世以前、都城盆地は島津荘の内という意味で「庄内（荘内）」と呼ばれていた。つまり、「庄内地理志」の「庄内」とは都城盆地のことで、都城島津家の領域を示したものであろう。

後世の人々が都城の歴史を調べる時に、まず参考にしてきたのが「庄内地理志」である。昭和四年（一九二九）、同二十八年（一九五三）、同四十五年（一九七〇）に刊行された『都城市史』では、中近世の記述はほぼ全面的に「庄内地理志」に依拠していた。つまり、「庄内地理志」は都城の歴史を紐解く上での基幹史料に位置付けられてきたといえよう。

3、「日々史」とは

都城島津家には「日々史《にちにちし》」（【写真2】）という史料が伝来し、現在、都城市の博物館「都城島津邸」に保存されている。これは、「庄内地理志」編さん開始当初における日々の調査状況を記録した編さん日誌といえるものである。表紙には「寛政十年九月」の年号が付され、同年九月三日から十一月十八日までの調査状況が「庄内旧伝編集方《しょうないきゅうでんへんしゅうかた》」の役人によって記録されている。まず、その冒頭部分をみてみることにしよう。これは寛政十年（一七九八）九月三日、御記録奉行の北郷良之《ほんごうりょうの》進《しん》と重信弥市郎《しげのぶやいちろう》等に対して、都城島津家の家老である北郷新太郎《ほんごうしんたろう》及び北郷彦右衛門《ひこうえもん》が都城島津家の当主島津久倫《ひさとも》からの申渡しを伝えたものである。

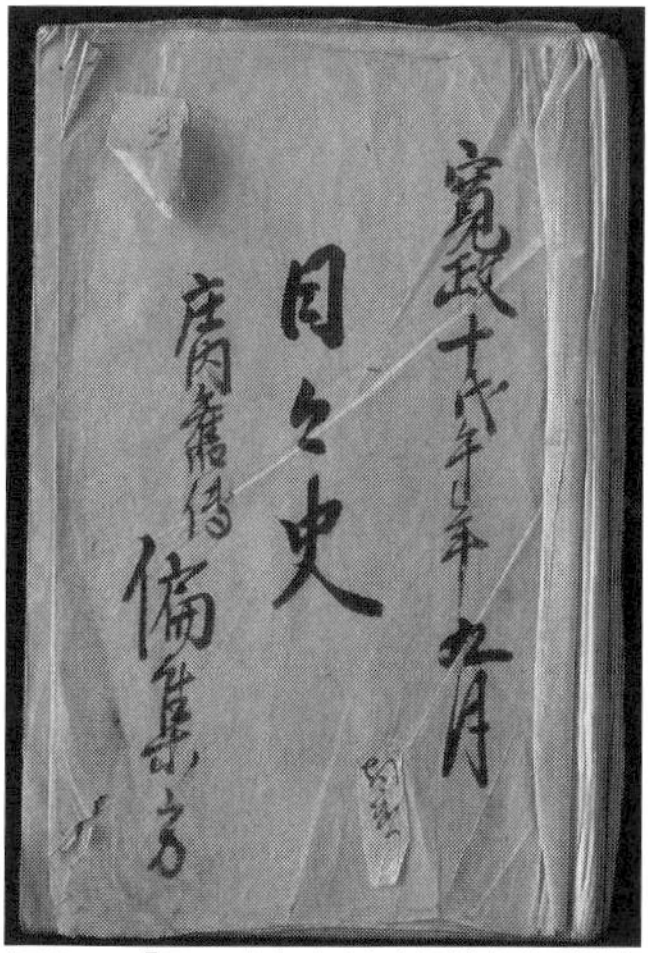

写真２　「日々史」表紙（都城島津邸蔵）

〔翻刻文〕

御記録奉行　北郷良之進
右同　　　　重信弥市郎
右同稽古　　神田橋新左衛門
　　　　　　河合正八郎

右者今度庄内旧伝偏（編）集被　仰出、右人々江古今伝来旧伝之儀偏集被仰付候に付、十五帖敷江
座相立、致筆立候様可被申渡候、此段申渡候、以上
　午九月三日　　北郷新太郎
　　　　　　取次　北郷彦右衛門
右之被仰渡候間、筆取壱人被仰付度北郷彦右衛門を以申出、荒川佐長へ被仰付候

〔読み下し文〕（本文のみ）

右は今度庄内旧伝編集仰せ出され、右人々へ古今伝来旧伝の儀編集仰せ付けられ候に付き、十五帖敷へ座相立て、筆立《ふでたて》致し候様申し渡さるべく候、此段申渡し候、以上
右これ仰せ渡され候間、筆取《ふでとり》壱人仰せ付けられたく、北郷彦右衛門を以って申し出、荒川佐長へ仰せ付けられ候

〔現代語訳〕

このたび島津久倫様から庄内旧伝を編集せよとの御命令が発せられ、御記録奉行の北郷《ほんごう》良《りょう》之進《のしん》と重信弥市郎《しげのぶやいちろう》、その稽古《けいこ》（見習いのこと）である神田橋新左衛門《かんだばししんざえもん》と河合正八郎《かわいしょうはちろう》に「古今伝来旧伝」編集を命じられた。そこで、十五帖敷の部屋へ座（担当部署）を設置して、筆立つまり編さんを開始するようにとの命令があったので申し渡す。また、担当者である筆取一人を配置して欲しいと北郷彦右衛門を通して申し出があったので、荒川佐長《あらかわすけなが》（儀方）へお命じになった。

島津久倫は「庄内旧伝」の編集を企画し、その担当部署「庄内旧伝編集方」を設置して、担当役人に「御記録奉行」二人、「同稽古」二人、そして「筆取」一人を任命した。この「庄内旧伝」編集が「庄内地理志」編さんに発展したと思われるが、それは「庄内地理志」の実質的担当者が荒川儀方であったこと、「庄内地理志」の凡例に「旧伝編集のこと、詳細に部冊の郷村に配当して記述する」とあることからうかがうことができよう。

4、調査に参加する人々

「庄内地理志」の編さんでは、地域住民の協力のもと綿密な調査が実施された。その状況の一端を、重信弥市郎と荒川佐長が出勤した九月二十八日の記事（【写真３】）からみていきたい。

〔翻刻文〕

一麑府御記録奉行所より庄内古戦場、里数・方角之儀御糺方被仰渡趣有之、且又都城旧伝偏集方、此御方より被　仰出、御記録方江偏集被仰付、彼是之取調へ方として、今日四ツ時致出立候、尤佐長事、為筆取附廻候様被仰付候

一放火場紫尾田・徳益江直に差越致見分候、庄や召列候

一紫尾田　都城麓より北に当り拾七八町廿町程有之候

紫尾田之下大川筋隈を流、本絵図に少々相違

徳益 右紫尾田より北山谷つづき、右両所人家古来当分之候由庄や申候

横市

一新宮陣跡為一見新宮門名頭勘太当年にて六十五歳所江立寄、曖恒松吉左衛門并横目致出会、

小城之内新宮六社権現より古城一見、麁絵図壱通り相認候処、夕暮に相成候

一天下天神之見守蒲生平右衛門系図之儀ハ、同家之安永居住蒲生平左衛門所持之由、所役より申出候

安永

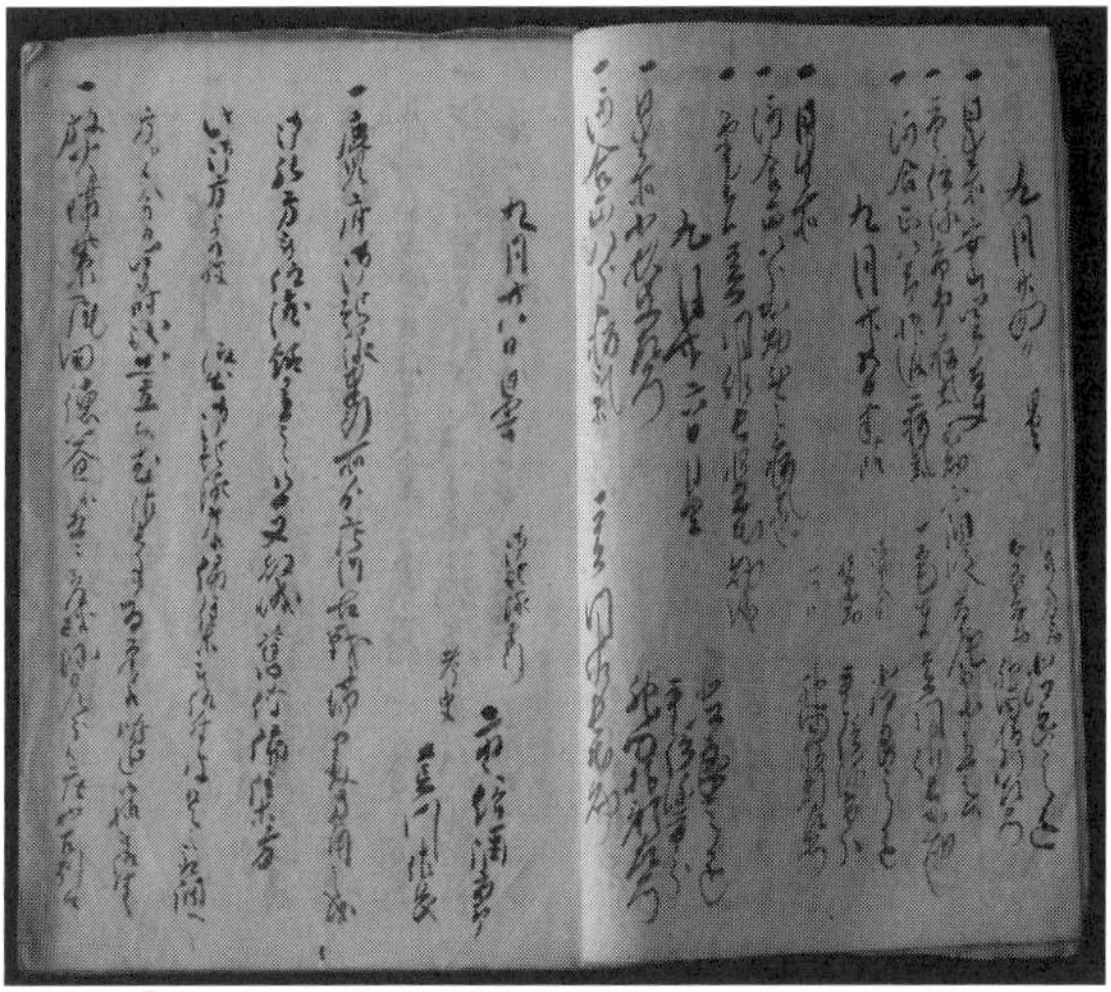

写真３「日々史」本文（都城島津邸蔵）

一横市在宿より夜入安永泊宿西俣八百助宅
へ相着候、曖役亀沢諸左衛門出会、尤
出会（衍カ）尤蒲生平左衛門古戦場案内、且古来
之伝記并系図一件之儀に付御用申渡候処
罷出候
一所中系図并古キ書記見合之儀、曖役并平
左衛門江申附候

〔読み下し文〕

一麑府《げいふ》御記録奉行所より庄内古戦場の里
数・方角の儀、御糺方《ただしかた》仰せ渡さる趣こ
れ有り、且又《かつまた》都城旧伝編集方、此御方《このおかた》よ
り仰せ出され、御記録方へ編集仰せ付け
られ、彼是《あれこれ》の取調べ方として、今日四ツ
時に出立致し候、尤《もっとも》佐長事、筆取とし
て附廻《つけまわし》候様仰せ付けられ候
一放火場紫尾田《しびた》・徳益《とくます》へ直《すぐ》に差し越し見分

致し候、庄や召し列《つ》れ候
一紫尾田　都城麓《ふもと》より北に当り拾七、八町《ちょう》、廿町《にじゅっちょう》程これ有り候
紫尾田の下大川筋隈《すみ》を流れ、本絵図に少々相違
徳益 右紫尾田より北山谷つづき、右両所人家古来当分これ候由庄や申候

横市《よこいち》
一新宮陣《しんぐうじん》跡一見のため新宮門名頭《しんぐうかどみょうず》勘太当年にて六十五歳所へ立ち寄り、曖恒松《あつかいつねまつ》吉左衛門並びに横目《よこめ》出会致し、小城の内新宮六社権現《しんぐうろくしゃごんげん》より古城一見、麁《そ》絵図ひと通り相認《したた》め候処、夕暮れに相成り候
一天下天神《あもりてんじん》の見守《みまもり》蒲生平右衛門《かもうへいうえもん》系図の儀は、同家の安永居住蒲生平左衛門《へいざえもん》所持の由《よし》、所役《ところやく》より申し出候

安永《やすなが》
一横市在宿より夜入《よいり》安永泊宿西俣八百助《にしまたやおすけ》宅へ相着き候、曖役亀沢諸左衛門《かめさわもろさえもん》出会、尤《もっとも》蒲生平左衛門古戦場案内、且《かつ》古来の伝記並びに系図一件の儀に付き御用申渡し候処罷り出候
一所中系図並びに古キ書記見合の儀、曖役並びに平左衛門へ申し附け候

九月二十八日の午前一〇時（四ツ時）、重信弥市郎と荒川佐長の二人が調査のために役所を出発

した。それは、鹿児島藩御記録奉行所からは庄内古戦場の里数・方角についての再確認を、都城領主島津久倫（此御方）からは「都城旧伝編集方」の調査を命じられたためである。これは、藩の命令による業務と都城島津家独自の業務を並行して行っていることを示していよう。

まず、近世初期の合戦時に放火された紫尾田・徳益（都城市志比田町《しびたちょう》）の調査が庄屋を案内役に行われた。ここでは、絵図と対比しながら庄屋の説明を受け、現地の川筋や地形を調査している。

それが終わると横市（都城市横市町）へ向かい、新宮陣跡を見るために当年六五歳の新宮門名頭の勘太宅へ立ち寄り、曖《あつかい》の恒松吉左衛門及び横目と面会している。そして、新宮六社権現から古城を望みながら、ひと通り粗絵図を描き上げたところで夕暮れになった。この時、天下天神の見守を勤める蒲生平右衛門家の系図について、安永（都城市庄内町）居住の蒲生平左衛門が所持しているという情報を所役（在地の役人）から得ている。

夜、安永での宿泊所である西俣八百助宅へ到着、そこで曖の亀沢諸左衛門と面会した。蒲生平左衛門も来宿するが、彼に古戦場の案内と系図や古い書付の提出を命じている。このように、地域の役人や百姓の責任者を集め、地元に残る絵図や系図、古文書・古記録等の提出を求めるなどして調査を実施したのである。

調査にあたっては、事前に記録奉行重信弥市郎の名義で、調査先の責任者である曖宛てに公文書を送り、その地域の人々の動員と協力を求めた。十月十日の重信弥市郎から梶山浦《かじやまうら》（北諸県郡三股町）噯中宛の文書に「尤《もっと》も昔の物咄《ものはなし》の類、兼《かね》て存じたる人もこれ有り候はば、召し烈《つ》れ差し越さるべく候」と昔のことを知る人物の選任と出席を求めており、古老からの聞き取り調査も重視していた。それを示す十月一日の記録を紹介しよう。

〔翻刻文〕

一小松ヶ尾合戦之時、大野田之辺道筋相違之場所見分致居候折節、年齢七拾歳計之老人樵候と相見得、傍に薪を卸し、いぶりし気味体にて聞居候故相尋候処、老人答て、昔小松ヶ尾合戦に戦死仕たる笠野七郎と申者之子孫笠野伴右衛門と申者にて御座候が、彼承り居候ハ、往古源次郎一乱之節之道筋にて無之、川之渡りも相替候由にて、今之道筋より三四町も東に出水有之候が、其節の太刀洗にて候ハ、申伝候

〔読み下し文〕

一小松《こまつ》ヶ《が》尾《お》合戦《かっせん》の時、大野田《おおのだ》の辺《あた》り道筋相違の場所見分致し居り候折節《おりふし》、年齢七拾歳計《ばかり》の老人樵《きこり》候と相見え、傍《そば》に薪《たきぎ》を卸《おろ》し、いぶりし気味体にて聞き居り候故《ゆえ》相尋ね候処、老人答えて、昔小松ヶ尾合戦に戦死仕《つかまつり》たる笠野《かさの》七郎《しちろう》と申す者の子孫笠野伴右衛門と申す者にて御座候が、彼承り居り候は、往古《おうこ》源次郎《げんじろう》一乱《いちらん》の節の道筋にてこれなく、川の渡りも相替り候由にて、今の道筋より三、四町も東に出水《でみず》これ有り候が、その節の太刀洗《たちあらい》にて候はばと

申し伝え候

〔現代語訳〕

一小松ヶ尾合戦時の大野田の辺りの道筋で、絵図と相違する場所を見分している時に、七十歳ほどの木樵《きこり》であろうと思われる老人がそばに薪をおろし、不満そうな表情で聞いていたので、尋ねてみたところ、老人が答えていうには、昔、小松ヶ尾合戦で戦死した笠野七郎という者の子孫笠野伴右衛門と申す者でございますが、お聞きしてきたことは、往古の源次郎一乱（伊集院忠真《いじゅういんただざね》の反乱）の時の道筋ではなく、川の渡りも変わっているとのことで、今の道筋より三、四町ほど東に出水があるが、そこがその時の太刀洗の場所ではないかと伝えられています、と。

ここでは、合戦場跡の調査にあたり、道筋の相違があったため、近くにいた老人から聞き取りを実施したことがわかる。老人からの情報や案内をもとに調査を続け、多くの成果を得ている。

5、地誌の編さんと地域の再認識

以上、みてきたように、庄内旧伝編集方の役人による現地調査は、用意した資料をもとに地域の人々（役人や古老）の協力を得ながら進められた。現地では百姓の家に宿泊することもあり、協力したのは名頭（百姓身分）、庄屋・噯（武士身分）などで、さまざまな身分の者が参加していた。

このように地域の人々が多く動員され編さんに参加したが、そのことが彼らにとっては、地元に残る史跡の再認識につながったものと思われる。これは古文書等の調査やその内容の再確認、古老からの聞き取り等からも同様の効果があったであろう。こうした現地調査とそれを記録する過程で、参加した多くの人々、また調査の様子をみていた人々にその地域の記録が認識・共有されることになり、改めてその地域社会の姿が再確認されることになったのではないだろうか。

参考文献

・羽賀祥二『史蹟論』（名古屋大学出版会、一九九八年）
・都城市史編さん委員会編『都城市史 史料編 近世1』（都城市、二〇〇一年）
・「日々史」（都城市史編さん委員会編『都城市史 史料編 近世1』都城市、二〇〇一年）
・白井哲哉『日本近世地誌編纂史研究』（思文閣出版、二〇〇四年）
・都城市史編さん委員会編『都城市史 通史編 中世・近世』（都城市、二〇〇五年）
・高野信治『近世領主支配と地域社会』（校倉書房、二〇〇九年）
・山下真一「都城島津家の領域意識と『庄内地理志』」（『南九州の地域形成と境界性―都城からの歴史像―』雄山閣、二〇一〇年）
・山下真一「近世領主家の地誌編纂と地域社会」（北村行遠編『近世の宗教と地域社会』岩田書院、二〇一八年）

9

書状からその関係性を明らかにする

庄内・薩摩交流の始まり
――明治初年、東京における庄内士族の情報収集――

今野　章

対象地域
山形

1、西郷隆盛が結ぶ薩摩との縁

山形県庄内地方は西郷隆盛《さいごうたかもり》に対する思慕が強い土地柄である。巷間《こうかん》に知られているように、西郷の賊名を解かれた明治二十二年（一八八九）より東京や薩摩で西郷に接した庄内士族たちが、教えを請うた言葉をまとめた「南洲翁《なんしゅうおう》遺訓《いくん》」の編纂を開始する。さらに翌二十三年よりそれらを全国に配り歩き、後世の人々に対して西郷の言葉を伝えるという役割を果たした。また、上野公園にある西郷の銅像を建立するにあたり、庄内からは二六四人総額四二三一円を寄附していた。近年では、酒田《さかた》市出身の長谷川信夫《はせがわのぶお》という生涯にわたって西郷を敬慕した人物が中心となり「荘内《しょうない》南洲会《なんしゅうかい》」が設立され、昭和五十一年（一九七六）、酒田市飯森山《いいもりやま》に南洲神社を建立している。軸装された西郷の真筆を所蔵する家も多く、地域全体として西郷への想いは今日まで受け継がれていると言えよう。

写真１　明治初年の菅実秀（鶴岡郷土資料館蔵）

そういった長年の経過があり、昭和三十年代より両市の民間による交流が盛んとなり、昭和四十四年（一九六九）十一月に鶴岡《つるおか》市と鹿児島市は兄弟都市の盟約を結ぶことになる。交流の一例を挙げると、昭和四十九年（一九七四）より両市の中学生が隔年ごとに鶴岡・鹿児島を訪問し合うというものがあるが、こうした庄内・薩摩の交流がいつどのようなかたちで始まったのかについて、通俗的には、西郷と当時の庄内士族の中心的人物であった菅実秀《すげじっしゅう》（【写真1】）との「徳の交わり」によるものと喧伝されてきた。本章では菅に宛てられた書状を通して、具体的に庄内士族と西郷ら薩摩系政府高官との交流を紹介していきたい。

2、黒田清隆の厚情と隠居酒井忠発の感動

最初に戊辰《ぼしん》戦争を挟んだ庄内と薩摩の動向について確認しておこう。まず、慶応三年（一八六七）十二月初旬、江戸府内では金策・押借《おしがり》・強請《ゆすり》・発砲などを働く不逞《ふてい》浪士たちが横行するようになる。これは江戸をかく乱させる意図で西郷が指示したとされる行動であり、彼らが夜な夜な薩摩

三田藩邸に出入りするのを見かねた幕府は、同月二十四日、庄内藩を主体として藩邸への攻撃を命じる。さらに、約四ヶ月後の四月二十四日に薩摩・長州などで構成される新政府軍が庄内の清川口に攻め入ったことで、東北の戊辰戦争の火ぶたが切られる。その後、同年九月には東北諸藩が降伏するに及び、庄内藩も同月二十六日に降伏の使者を古口村《ふるくち》（現在の最上郡《もがみ》戸沢村《とざわ》）に駐留していた新政府軍参謀黒田清隆《くろだきよたか》に派遣し、同日夜に黒田は単身鶴岡に赴き、二十八日に藩校致道館《ちどうかん》で藩主酒井忠篤《さかいただずみ》（一一代藩主）と面会している。この時、新政府軍千百余名が鶴岡に入るが、この中に西郷隆盛の姿もあり、実際武器接収のために鶴ヶ岡城に入っている。

ところで、降伏に際して、薩摩を主体とする新政府軍の鶴岡での態度は穏やかなものだった。この時の処置に対し、通説では後年、菅が黒田と面会した際に感謝の意を述べた時、「あれは西郷の指示によるものだ」と伝えたことから、そこから西郷への傾倒が始まったとされている。しかし、戊辰戦争で東北が平定されて以来、西郷は薩摩に帰国中であり、実際に何くれと庄内に対して世話を焼いてくれたのは、降伏の際、交渉の任にあたった黒田だった。たとえば、後に黒田と深い関係を持つことになる松本十郎《まつもとじゅうろう》は、「松本家譜」（松本十郎資料）という彼の自伝によれば、三月頃から同僚と共に頻繁《ひんぱん》に薩摩屋敷に黒田を訪ねていたとあり、たとえ黒田が不在だったとしても丸一日、薩摩邸で過ごしていたという。松本については、こうした度重なる黒田の訪問が縁となり、同年八月に黒田が長官を務めることになる北海道開拓使の判官に任命されている（庄内からは唯一の政府役人に登用された事例となる）。

一方、菅は明治二年（一八六九）一月、前年十二月に命じられた会津若松への転封《てんぽう》を阻止するべく東京入りする。この会津転封は五月に沙汰止《さたや》みとなるものの、さらに六月には磐城平《いわきたいら》への転封を命じられることになる。これに際して、菅は主に大蔵大輔《おおくらだゆう》大隈重信《おおくましげのぶ》に対して交渉を続け、七月十五日に七〇万両を献金することで転封撤回の言質《げんち》を取っている。菅はこれらの背景には黒田の存在があったためと隠居の酒井忠発《さかいただあき》（九代藩主）に伝えたらしく、忠発は菅に対して、九月七日の書状で次のように書き送っている。

〔史料①〕

一筆申遣候、然者黒田事、追々被申越候趣ニ而者、実ニ天下之人材与可申、頼母敷次第ニ候（中略）惣而今般之一条、薩洲家公平至正之取扱、誠ニ以感動之至ニ候、就中黒田儀者去秋已来、今度権十郎之一儀ニ至迄、偏ニ懇篤之尽力ヲ以、萬端無事故相済（後略）

〔書き下し〕

一筆申し遣わし候、然《しか》れば黒田事、追々《おいおい》申し越され候趣ニては、実ニ天下の人材と申すべき、頼母敷次第《たのもしきしだい》ニ候、総じて今般の一条、薩洲家公平至正の取扱い、誠ニ以て感動の至りニ候、なかんずく黒田儀ハ去秋已来《いらい》、今度権十郎《ごんじゅうろう》の一義ニ至る迄、偏《ひとえ》ニ懇篤《こんとく》の尽力《じんりょく》ヲ以て、万端《ばんたん》

事故《ことゆえ》無く相済み（後略）

文中「権十郎之一儀」とあるが、これは菅とともに庄内士族の指導的立場にあった松平権十郎《まつだいらごんじゅうろう》が八月五日に軍務官糾問所《ぐんむかんかんきゅうもんじょ》に呼び出され、入牢させられたことを指している。その嫌疑は庄内藩が幕府遊撃隊の山高瑛太郎《やまたかえいたろう》と図り、箱館の榎本武揚《えのもとたけあき》が率いる旧幕府軍に武器を送ろうとしたのではないかというものであった。権十郎は同月二十日には出牢しているが、菅はこれも黒田の尽力によるものと忠発に書き送ったものと思われ、それに対して忠発も「天下之人材」と黒田を激賞するほど、国父《こくふ》の立場として薩摩からの厚情に感動することになる。同じく同年十二月二十九日の忠発から菅に宛てた書状によれば、謹慎の解けた忠篤は黒田邸をたびたび訪問していたことが記されている。こうした前藩主（この時期、弟の忠宝《ただみち》に藩主の座を譲っている）自らが黒田に教えを請う姿勢は、翌明治三年（一八七〇）十一月からの忠篤以下七〇数名の庄内士族たちの薩摩留学に繋がっていく。

以上見てきたように、西郷が東京不在の明治二年から四年春頃までは黒田が庄内士族たちの交渉の窓口になっていた。少し時期をさかのぼると、明治元年十月に藩主忠篤が東京の清光寺《せいこうじ》で謹慎を命じられるに及び、何人かの藩士が同行するが、このうちの田辺儀兵衛《たなべぎへえ》が記した「公私日記」によれば、明治二年二月二十四日に謹慎中に御忍びで忠篤が黒田に東京で面会したとある。恐らくこの前後からすでに田辺らは黒田らと接触を重ね、この日の面会となったのだろう。さらに、明治三年十一月晦日《みそか》付の忠篤の書状では、黒田のほか、川村純義《かわむらすみよし》・伊集院兼寛《いじゅういんかねひろ》などの名前も登場してくるが、これも黒田からの紹介を受けた上での接触だったと思われる。

ところで、こうした薩摩側の庄内への厚遇にはどういった理由があったのだろうか。宮地正人《みやちまさと》氏が「庄内藩は幕府成立以前からの徳川家譜代の家臣、家臣として主家の汚名を雪《そそ》ぐことは当然のこと、その戦いぶりは敵ながらあっぱれ、戦術にもすぐれ、藩兵の統率は行き届き、藩指導部も松平権十郎・菅善太右衛門《ぜんたうえもん》（実秀）を初め際立った才能を認めることになります」と論じているように（宮地：二〇一六）、まずは薩摩側が庄内士族たちに憎悪ではなく、好意を寄せたことが大きな要因だったと想像される。文久三年（一八六三）の新徴組《しんちょうぐみ》の委任や江戸市中取締など、幕府から厚い信頼を寄せられた庄内藩ではあったが、薩摩からの厚遇を千載一遇《せんざいいちぐう》の好機と捉え、庄内士族たちは新しい時代での生き残りをかけ、まずは黒田をはじめとする薩摩閥《ばつ》に接近することになる。恐らく、その判断は東京で活動していた権十郎や菅からの報告を受けた国元の忠発だったのだろう。さらに、明治四年四月に西郷が上京するに及び、いよいよその関係が濃厚になっていくわけである。

3、酒田県東京出張所機事掛の活動

明治四年七月の廃藩置県により、庄内はそれまでの旧庄内藩を中心とした大泉《おおいずみ》藩と新政府から知事以下の役人が派遣された第一次酒田県（なお、明治三年九月に酒田県は廃止され、第一次山形県に合併される）という二元体制から、庄内士族だけで庄内全域を支配する第二次酒田県体制へと移行された。こうした措置は全国でも庄内と薩摩だけであり、その背景には西郷ら薩摩系政府高官の尽力があったわけである。これに伴い、権十郎が菅に宛てた十一月十七日の書状によれば、「今度《このたび》ハ常磐橋《ときわばし》元《もと》越前《えちぜん》之《の》屋敷《やしき》を新県《しんけん》之《の》出張処《しゅっちょうしょ》ニ而《にて》御定《おさだめ》候《そうろう》」とあるように、酒田県は東京での活動拠点を置くことになる。こうして東京に派遣された酒田県役人は「機事掛《きじがかり》」と称されていたが、その中に犬塚勝弥《いぬづかかつや》という人物がいた。犬塚は明治三年八月に権十郎の実弟である長沢顕郎《ながさわけんろう》とともに、忠篤の親書を携えて薩摩に派遣された人物だが、そのまま郷里には戻らずに東京出張所に詰めることになる。その犬塚が実際にどのような形で西郷や薩摩系高官と接していたのか、具体例として、明治五年（一八七二）七月二十二日の書状（【写真2】）を引用する。

〔史料②〕

一、西郷先生にも当八日ニ帰朝被致候間、兼而より之条々第一、上之御洋行之御事茂相談仕度、度々参候得共、私者未タ逢兼居、漸々今日玄蕃殿暫時被逢、兼而御同人ニ茂相談仕置候間、其表より被仰下候通、十分先生之見込ニ任セ候様被噺候処、先生申ニハ兼而河村と

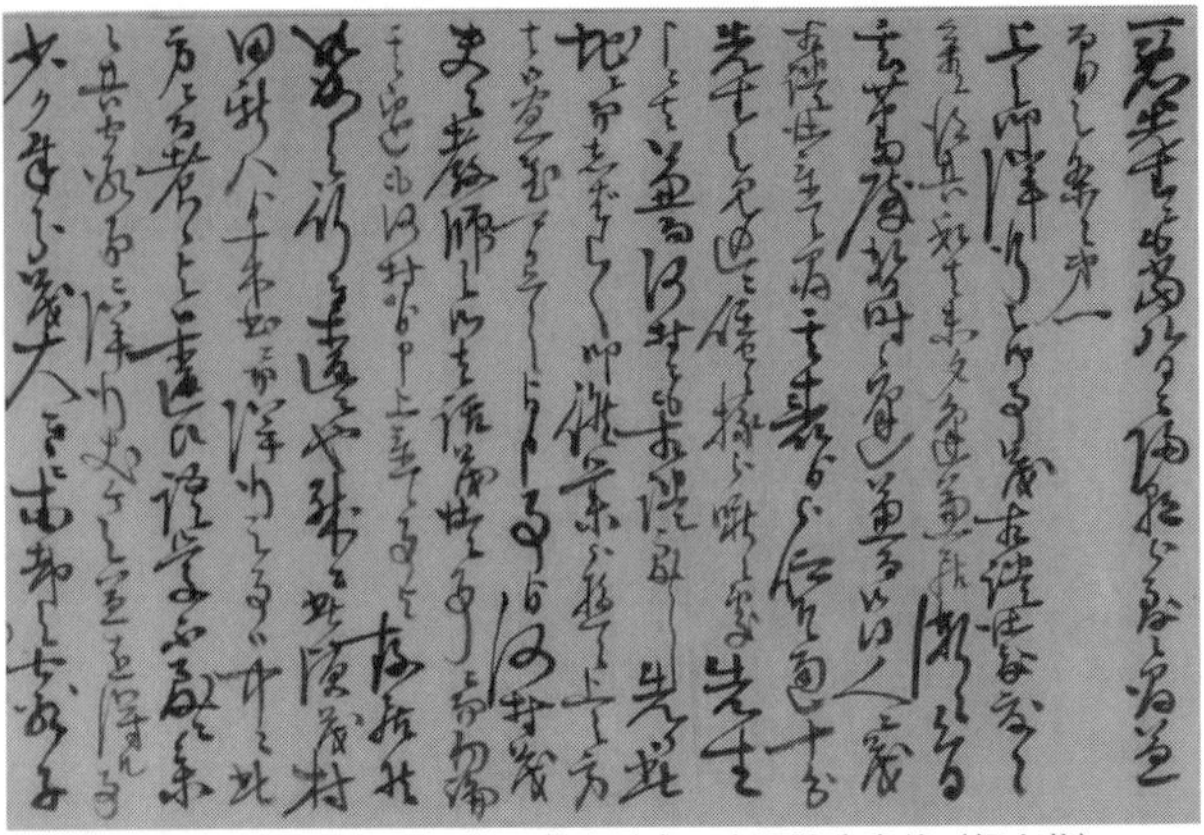

写真２　明治５年７月22日付　菅実秀宛　犬塚勝弥書状（個人蔵）

も相談致し、先ツ此地ニ而しばらく御修行被遊候上之方者宜可有之与申事より、河村茂夫々教師之御世話茂仕候事ニ而、勿論其辺も河村より申上置候事与存居候、如何之行き違ニや、殊ニ此頃者村田新八より来書ニ而洋行之事ハ中々此方ニ而考候、語学不致参候共、容易ニ洋行丈ケ之宜ヲ得ル事少ク、生分も大きに困却之様子ニ申越候間、先ツしばらく此地におゐて語学之修行被遊可然（後略）

〔読み下し〕

一、西郷先生にも当八日ニ帰朝《きちょう》致され候間、兼《かね》てよりの条々《じょうじょう》第一、上(酒井忠宝)の御洋行の御事も相談仕《つかまつ》りたく、度々《たびたび》参り候得共《そうらえども》、私は未《いま》タ逢《あ》ひ兼《か》ね居《お》り、漸々《ようよう》今日玄蕃殿(酒井玄蕃)暫時《ざんじ》逢《あ》はれ、兼《かね》テ御同人ニも相談仕り置き候間、其表《そこおもて》より仰せ下され候通り、十分先生の見込ニ任セ候様噺《はな》され候処、

> 先生申ニハ兼テ河村(川村純義)とも相談致し、先《ま》ツ此地ニてしばらく御修行遊ばされ候上の方は宜《よろしく》これあるべくと申す事より、河村も夫々《それぞれ》教師の御世話も仕り候事ニテ、勿論《もちろん》其辺も河村より申し上げ置き候事と存じ居り候、如何《いかが》の行き違ニや、殊ニ此頃は村田新八《むらたしんぱち》より来書ニテ洋行の事ハ中々此方ニテ考へ候、語学致さず参り候共、容易ニ洋行丈《ようこうだ》ケの宜《よしみ》ヲ得ル事少ク、生分《しょうぶん》も大きに困却の様子ニ申越候間《もうしこしそうろうあいだ》、先ツしばらく此地におゐて語学の修行遊ばされ然《しか》るべし(後略)

　この書状の背景として、兄・酒井忠篤が同年四月十九日にドイツ留学のため洋行を果たしていたことがあり、西郷は、弟・忠宝にも洋行を勧めていたことが読み取れる。犬塚は、忠宝の留学を実現するために西郷を尋ねるが、なかなか面会が叶《かな》わず、代わりに酒井玄蕃《さかいげんば》(戊辰戦争で二番大隊隊長として名を馳せた「鬼玄蕃」。明治四年より兵部省に出仕していたが、この年の初め辞職している)がようやく面会を果たすことになる。しかしながら、西郷が言うには、この件については川村純義ともよく相談したが、まずは国内で勉学した方がいいのではないかということであり、教師については川村が世話をしてくれるので、そのうち川村から話があるだろうと言われたとのこと。これに対し、犬塚は「如何の行き違ニヤ」と困惑するが、さらに同じく薩摩出身の村田新八からも書状が来て、そこには外国留学をするために語学の勉強が必要であり、しばらくは日本に留まり、語学の勉強をした方がいいと書かれていたとある。犬塚は書状の続きの部分で「何分今日迄之処ハ兎角《とかく》先生達より被進候《すすめられそうろう》」と西郷らに対する恨み言を菅に書き送っているが、それでもあきらめずに働きかけを継続した結果、明治六年（一八七四）六月に忠宝も兄同様にドイツ留学を果たすことになる。今日では、西郷の言葉を庄内士族たちは金科玉条《きんかぎょくじょう》のように受け取っていたと思われがちだが、実際には西郷もリップサービスの度が過ぎて前言撤回していたり、それに対して庄内士族たちも不平を漏らしていたわけである。

また、これとは別に犬塚のような機事掛たちが東京でどのように情報を収集し、国元に送っていたのか、その一端が垣間見える動きを紹介したい。同じく七月二十二日の書状の後半に以下のような文面がある。

〔史料③〕

一、大蔵省も弥一変之模様ニ相聞候、左院より建言相成り候手続之噂ニ御座候、又陸軍省茂色々議論相始り、此節山県大輔者辞表差出し居候様子、（中略）

一、大蔵之井上も、追々手足か動き不申ニ相成候より洋行之企有之候噂ニ御座候、付而ハ大丞処も此炎天ニ被照候色合与ハ見へ不申（後略）

〔読み下し〕

一、大蔵省も弥《いよいよ》一変の模様ニ相聞へ候、左院より建言《けんげん》相成り候手続の噂ニ御座候、又陸軍省も色々議論相始り、此節山県（有朋）大輔ハ辞表差出し居り候様子、

一、大蔵の井上（馨）も、追々手足か動き申さざるニ相成り候より、洋行《ようこう》の企《くわだて》これ有り候噂ニ御座候、付テハ大丞（伊集院カ）処も此炎天ニ照らされ候色合トハ見へ申さず、

ここには、大蔵省の紛糾ぶりと兵部大輔《ひょうぶだゆう》兼近衛都督《けんこのえととく》である山県有朋《やまがたありとも》の辞表提出が記されている。山県の辞職は、長州出身の山城屋和助《やましろやわすけ》という陸軍の御用商人が官費を借り上げて事業に投資したことが明るみに出た事件、「山城屋事件」によるものである。この時、薩摩系の近衛将校たちが中心となり山県に辞職を迫ったとされ、さらに大蔵大臣の井上馨《いのうえかおる》もこの事件に関連してか、身動きが取れなくなり、国外脱出を図っているという噂が上ったという。文中出てくる「大丞《だいじょう》」は当時、大蔵省租税権頭《そぜいごんがしら》を務めていた伊集院兼寛と思われるが、当時、犬塚は頻繁に伊集院のもとに出入りしており、こういった政府内の情報を聞き取り、国元の菅などに逐一送っていた。庄内士族たちは政府内の薩長対立の影響もあり、長州系の政府高官・軍人に対しては、総じて批判的に捉えていたようである。

以上見てきたように、庄内士族たちは明治初年より薩摩出身の政府高官たちと密な関係を構築して、時には国元で事業を進める上で後ろ盾として、時には様々な情報を得ながら、良好な関係

を築いてきた。明治六年（一八七三）十月に西郷が下野して帰国したとはいえ、黒田や伊集院は東京を拠点としているので、機事掛たちの彼らへの訪問は継続していただろう。しかしながら、やはり西郷不在は大きく、同年十一月に大久保利通《おおくぼとしみち》が内務卿として政権の主導を握ってからは、庄内の特別待遇は取り上げられ、以降、内外から庄内士族への風当たり（三島通庸《みしまみちつね》の酒田県令登用・ワッパ騒動など）が強くなっていくことになる。

参考文献

・落合弘樹『西郷隆盛と士族』（吉川弘文館、二〇〇五年）
・宮地正人「新徴組と庄内藩並びに第二次酒田県」（『地域の視座から通史を撃て！』校倉書房、二〇一六年）
・『鶴岡市郷土資料館史料集1　菅実秀関係史料』（鶴岡市郷土資料館、二〇二〇年）
※なお、本文で引用する史料は、すべて右に収録されている。

10
地方文書《じかたもんじょ》からひもとく安政のコレラ
感染症史を地域史料から探る

宮間純一

対象地域
千葉

1、安政のコレラ

いま私たちの社会は、「コロナ禍」のまっただ中にある。グローバル化が進んだ今日、またたくまに新型コロナ・ウイルスは世界中に拡散した。さかのぼること約一六〇年前、アメリカやヨーロッパ諸国との交流を本格的に開始しつつあった日本は、同じように感染症の脅威にさらされていた。

安政五年（一八五八）五月十一日、アメリカの軍艦ミシシッピ号の乗船員が持ち込んだコレラが長崎に上陸した。コレラ菌は、人の移動とともに六月下旬に東海道を東へ進み、七月中には江戸へ到達している。文政五年（一八二二）にもコレラは西日本を中心に流行したが、全国に及ぶことはなく収束した。文政の流行時の死亡者数は、十数万人と推定されるが、安政のコレラはさらなる猛威を振るい、各地で目を覆《おお》いたくなるような光景が広がった。この時に奪われた人命は数十万人に達したと考えられている（高橋：二〇〇五）。

結果論だが、日本がパンデミックにのみ込まれたのは、徳川幕府が「祖法」たる「鎖国」体制に変更を加え、アメリカと交流をもったことに起因する。嘉永七年（一八五四）、幕府はアメリカと日米和親条約を締結し、下田《しもだ》・箱館《はこだて》を開港した。安政二年（一八五五）に結ばれた日露和親条約によって長崎も開かれ、いわゆる最恵国待遇によりアメリカも長崎を利用できるようになる。これによって長崎に寄港したアメリカの軍艦が、コレラを日本に運んできたのである。コレラが上陸した翌月には、日米修好通商条約が結ばれ、「鎖国」の時代はついに終焉《しゅうえん》を迎えることになる。

コレラは、毒性が強く、致死率も高かった。発症後、数時間から数日のうちに絶命することも珍しくなく、ワクチンや特効薬はもちろん存在しない。同時代の日本列島に住む人びとが、この未知の感染症の前におののいたのは当然である。だが、彼／彼女らはただ立ち尽くしていたわけではなく、できる限りの知恵を絞り、対策を練っていたことを忘れてはならない。文政五年を最初として、一九二〇年代までコレラは日本で流行を繰り返しており、そのたびに多くの人びとが亡くなっている。そのように困難な時代を生き抜き、コレラと共存しながら社会を維持するためにとられていた必死の試行錯誤を、房総《ぼうそう》地域に残された地方文書《じかたもんじょ》からひもといてみたい。

2、江戸からもたらされた情報

　安政五年（一八五八）、「将軍のお膝元」である大都市江戸は阿鼻叫喚《あびきょうかん》の巷《ちまた》と化した。コレラの流行によって、江戸では一〇万人程度が亡くなったと考えられている。戯作者仮名垣魯文《かながきろぶん》の手になる『安政午《うま》秋頃利《ころり》流行記』（別名『転寝《ころびね》の遊目《ゆめ》』、国立公文書館蔵）には、悲惨な江戸のありさまが克明に記録されている。同書によれば、各町において多いところでは一〇〇名、少ないところでも五、六〇名の死者が発生したとされる。道には葬送の列が絶え間なく続き、江戸にある数万の寺院は昼も夜もなく葬儀を営んだ。だがそれでも追いつかずに処理できない棺《ひつぎ》が積み重なっていたという。

　こうした江戸の様相は、文書を通じて他の地域へも伝えられた。千葉県銚子《ちょうし》市の宮城《みやしろ》家に伝来した文書群のなかにもコレラに関する情報を記した書簡がある（銚子市高田町宮城家文書ウ八六七、千葉県文書館蔵）。利根川べりに位置する下総《しもうさ》国海上《うなかみ》郡高田村（千葉県銚子市）で廻船問屋《かいせんどんや》を営んでいた宮内喜三郎《みやうちきさぶろう》（のちに宮城姓に改める）のもとへは、江戸深川の干鰯《ほしか》問屋である水戸屋《みとや》からコレラにかかわるニュースが寄せられている。水産加工品である干鰯は、宮内家が扱う主な商品の一つであり（千葉県文書館：一九九五）、水戸屋とは商売上、親しい付き合いがあった。

　安政五年九月十六日付けで水戸屋次郎右衛門《じろうえもん》・忠兵衛《ちゅうべえ》が喜三郎へ送った書簡では、宮内の安否を気遣うとともに、多数の死者を出している江戸の不穏な情勢にあっても、水戸屋の人びとは息

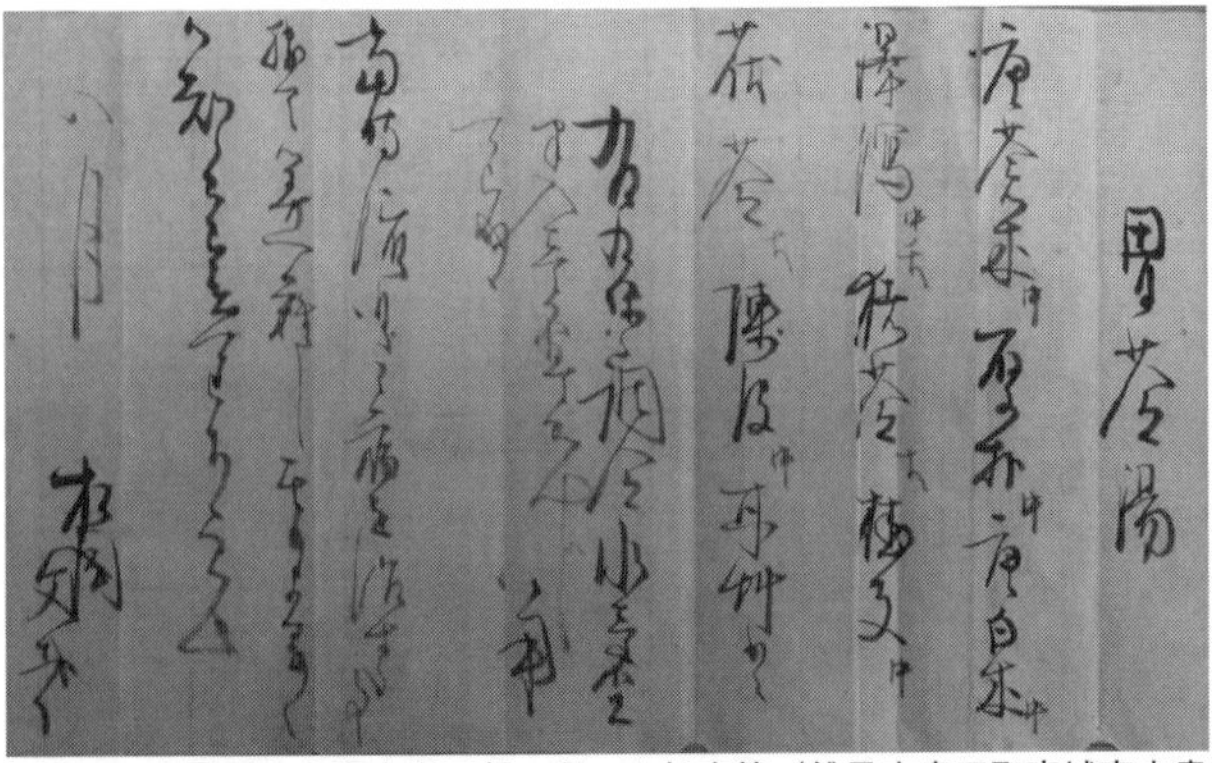

写真1　水戸屋から宮内喜三郎へ届いた処方箋（銚子市高田町宮城家文書ウ865）

りなく「神心」をつとめているおかげで無事だ、と報告されている。つづけて、この書簡に「名医ゟ《より》之薬法」を同封するので、身の回りで患者が発生した場合には伝えてほしいと添えられている。

その処方箋が【写真1】である。この処方箋を作成した「名医」とは松岡《まつおか》文哉のことである。松岡は、福岡藩主黒田《くろだ》長溥《ながひろ》の侍医をつとめた人物で、同時代にあっては優れた医療技術を身につけていた医師の一人だといってよいだろう。ここで紹介されている胃苓湯《いれいとう》は、下痢や嘔吐などの症状に対して現在も処方されることがある漢方薬であり、激しい下痢や嘔吐が主な症状であるコレラ患者に施すのは理にかなっている。

水戸屋が松岡の処方箋を入手した経緯は明らかではないが、混乱の渦中にあった江戸ではコレラ対策をめぐる情報が飛び交っていた。なんとか命を守ろうと、有効な手立てを求める人びとの営みによってさまざまな情報が氾《はん》濫《らん》する。そのなかには、いわゆる「デマ」も混在しており、時として町人たちを惑《まど》わせることもあった。江戸市中に感染症対策に関する風聞があふれるなかで、水戸屋は松岡の処方箋をたしからしいものだと判断し、交流があった宮内家の人びとの身を案じて写《うつし》を送付したのであろう。水戸屋から宮内へ宛てられた書簡からは、コレラ戦線の最前線にあった江戸から近郊の地域社会へと、私的な人脈によって当時の医療水準としては高度な治療法がもたらされていた実態がみてとれる。

3、幕府からの指示

もちろん幕府もコレラの蔓延《まんえん》を放置していたわけではない。安政五年（一八五八）八月下旬、幕府から房総半島の村々に対してコレラへの対処方法を指示する文書が廻されている。同じ内容の史料は、関東各地に伝来した文書のなかにもみえるが、ここでは上総《かずさ》国山辺《やまべ》郡台方《だいかた》村（千葉県東金《とうがね》市）の豪農前嶋《まえじま》家に伝わった廻状《かいじょう》の写を用いてその内容を紹介したい（【写真2】、東金市台方前嶋家文書ソ一九、千葉県文書館蔵）。

廻状とは、近世において用いられた連絡手段である。村から村へと文書が回覧されるこのシステムによって幕府や領主から出される命令などが、速やかに百姓たちへ行きわたった。文書の回覧が済むと原本は発出元へ返却されるため、各村の村役人はこれを写して記録しておく必要が生じる。そのため、村役人をつとめた百姓の家にはこうした種類の文書が蓄積された。

コレラ対策を指示する廻状は、まず八月三十日付けで幕府の機関である関東取締出役《しゅつやく》から台方村が所属する組合の寄場《よせば》である東金町に到着する。これを組合の村々へ伝達すべく、九月三日に東金町から台方村へと文書が廻された。この文書は、はじめ台方村のうち旗本松平《まつだいら》氏知行所の名主重右衛門《じゅうえもん》のもとへ届いている。台方村は、一つの村に複数の領主が存在する相給《あいきゅう》村落であり、知行所ごとに村役人が置かれていた。重右衛門は、東金町から届いた廻状を九月四日付けで旗本河野《こうの》氏知行所の名主である前嶋治助《じすけ》へ伝え、これを治助が写したことで【写真2】の史料が前嶋家に伝わることになった。

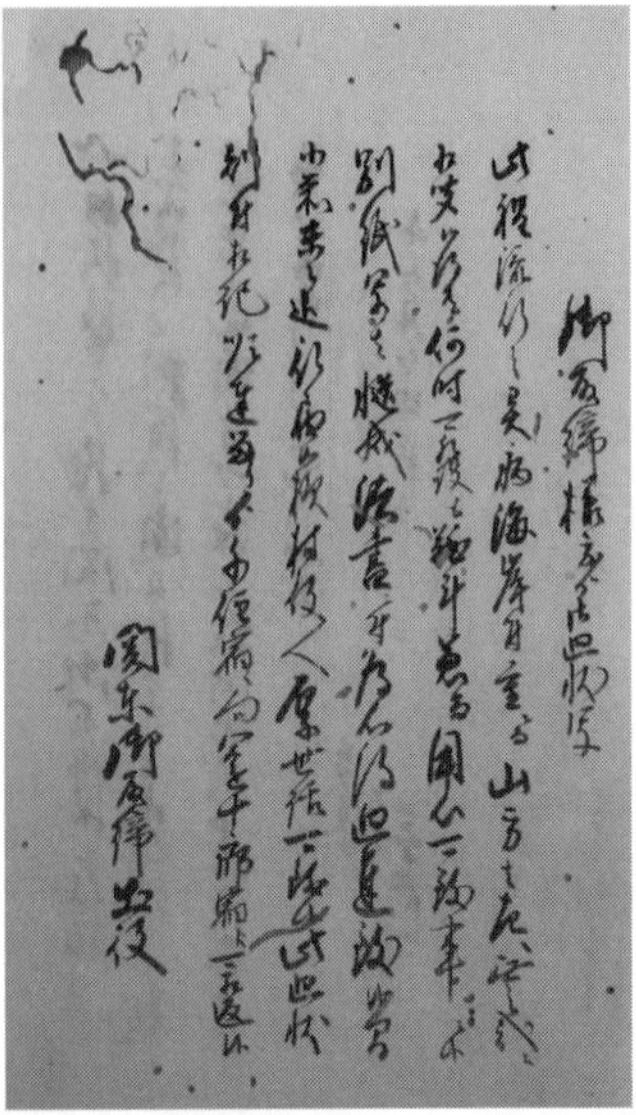

写真2　関東取締出役による廻状（東金市台方前嶋家文書ソ19）

治助は、翌五日、河野氏知行所の百姓たちへ命令の内容を申し聞かせている。その要点は左の通り。

このたびの「異病《いびょう》」（コレラのこと）は、海沿いの地域で多く発生しており、山側には広がっていないかのように（風聞では）伝わっている。だが、山側でもいつ流行するかわからないから用心しなければならない。そこで、たしかなる療法を伝えるので村内で周知するように。

まず、予防策として身体を冷やさず、腹には木綿を巻き、大酒・大食は避けて消化しにくい物は食べないこと。もし発症した場合には、早々に寝床に入って飲食を慎み、全身を温めて芳香散《ほうこうさん》という薬を用いるように。芳香散の服用だけで治癒《ちゆ》した者も少なくない。吐瀉《としゃ》が激しく、全身が冷えるほどの症状に至った場合には、焼酎一・二合に竜脳《りゅうのう》・樟脳《しょうのう》一・二匁《もんめ》を入れた液体を温め、これをひたした木綿のきれによって患者の腹・手足に静かにすり込むこと。さらに、からし粉とうどん粉を等分に混ぜた芥子泥《かいしでい》を水落・腹・手足に小半時ほど張っておく。他にも、熱いお茶にその三分の一の量の焼酎を混ぜて使用するのも効果的である。座敷は閉め、布・木綿などにこれをつけて何度も全身にこすること。手足の先や腹の冷えている部分を、温めた鉄や石を布に包んでお湯を使うように身体を暖めるのもよい。

江戸では、これと同じ触れが八月二十二日に出されている（石井良助・服藤弘司編『幕末御触書集成　第五巻』岩波書店、一九九四年）。芳香散も胃苓湯と同じく現在でも用いられている漢方薬である。嘔吐や消化不良など胃の諸症状に効くとされる薬だが、安政のコレラに際して広く用いられていたことがこの史料からわかる。その他の治療法は、対処療法ではあるが、幕末時点の医療水準からすれば民間でも行うことができる有効な手段だと考えられて推奨《すいしょう》された。その効果のほどはさておき、江戸から遅れること約二週間で房総の百姓たちにもコレラに対する具体的な治療法が幕府から示されたことになる。

4、人びとの祈り

近世の村々においては、神仏への祈りも病に立ち向かうための重要な手段だと考えられていた。安政のコレラ流行時にも神仏への祈願が各地の寺社において行われている。いまの視点に立てば、「神頼み」は実効が期待できない気休めだと思われるかもしれない。だが、当時の人びとにとっては生活に染みついていた、当たり前に取るべき対策の一つであったことを念頭において史料を読まなければならない。上総国市原《いちはら》郡高滝《たかたき》村（千葉県市原市）に鎮座する賀茂《かも》大神宮（明治十三年〈一八九〇〉、高滝神社と改称）の禰宜《ねぎ》を世襲した小幡《おばた》家伝来の文書群には、その一端をうかがい知ることができる史料がある。

賀茂大神宮は、小幡家と神主平田《ひらた》家を中心に経営された神社である。同社の氏子は、享保六年（一七二一）には五五か村、戸数にして二四九六戸であった。天明五年（一七八五）には二二〇〇戸、明治十二年には二二八一戸であるから、幕末期にも二二〇〇戸程度の規模を維持していたと推定できる（千葉県文書館：二〇〇四）。

安政六年（一八五九）九月十四日に神主平田大内蔵《おおくら》から氏子の村々へ一通の急廻状が出された（市原市高滝小幡家文書ウ3、千葉県文書館蔵）。この廻状によれば、賀茂大神宮では「異病流行」を受けて「氏子安全之ため」に十七日から十九日までの三日をかけて神前で祈祷を行うことが決定した。あわせて、氏子村々においても疫病沈静のため「信心」するように説いている。また、平田は祓《はらえ》を氏子の家ごとに行うので、各村から一両名を派遣してその軒数を届け出るように依頼した。その代表者へ賀茂大神宮から一村分の祓をまとめて進上すると記されている。このような「疫病退散」・「疫病解除」のための祈祷・祓は、近世の地域社会において賀茂大神宮が果たすべき重要な役割であった。安政のコレラ以外の流行病にかかわる札なども小幡家文書にはいくつか存在することがその証左となる。

通常と異なるのは文書の形式である。賀茂大神宮から氏子にあてて発出される廻状には、本来神主・禰宜両名の署名が必要とされる。ところが、この廻状には平田の署名しかない。文書が廻される直前に禰宜であった小幡山城《やましろ》が他界しており、その息子も忌中で出勤していないと廻状の文末に但し書きがあるから、これが理由であろう。死因は定かではないが、賀茂大神宮にとって神主や禰宜の代替わりは、神社を持続するために何よりも優先されなければならない重要な事柄であった。そのような、神社の経営が重大な局面を迎えている時期にあっても祈祷・祓を早急に実施することが肝要だと考えられていた、という史料解釈も成り立つ。コレラに悩まされていた幕末の民衆にとって、神仏への祈りは人命を守るための現実的な手段の一つであり、きわめて切実な営為であったことがうかがえる。

５、これからの感染症史研究と地方文書

本章でみてきたように、地方文書は過去の感染症とそのなかで生活する地域の人びとの動向を現在のわたしたちへ具体的に教えてくれる貴重な資源である。感染症史への関心が増してゆくなかで、これから研究が増加してゆくと見込まれるが、未活用の地域史料はまだまだ眠っている。今後、地方文書から解き明かされてゆく感染症の歴史に注目していきたい。

参考文献
・山本俊一『日本コレラ史』（東京大学出版会、一九八二年）
・千葉県総務部文書課編『収蔵文書目録第一集　東金市台方前嶋家文書目録一』（千葉県、一九八八年）
・千葉県文書館編『収蔵文書目録第八集　銚子市高田町宮城家文書目録（上）』（千葉県文書館、一九九五年）
・酒井シヅ『病が語る日本史』（講談社、二〇〇二年）
・千葉県文書館編『収蔵文書目録第十七集　市原市高滝小幡家文書目録』（千葉県文書館、二〇〇四年）
・高橋敏『幕末狂乱―コレラがやってきた！―』（朝日選書、二〇〇五年）

〔付記〕本稿は、二〇二〇年度千葉県文書館古文書講座の準備の過程で得た知見をもとに執筆したものです。担当者の實形裕介さん、佐藤成浩さんにお礼申し上げます。

第3部　歴史を再発見するのはおもしろい

11

考古学と文献学の協働で探る

武家の格式と威信材《いしんざい》

―関東公方葛西様と葛西城―

谷口　榮

対象地域
東京

1、東京の戦国史研究と関東公方

二十世紀までの東京の戦国史研究には、関東足利《あしかが》氏や関東公方《くぼう》の事跡はほとんど登場しなかった。今世紀に入ってから東京の戦国史研究を行うキーワードとして「関東足利氏」や「関東公方」、そして「足利義氏《よしうじ》」が加えられることになった。その契機は、葛飾区青戸《あおと》に所在する現在は東京都史跡「葛西城跡《かさいじょうあと》」に指定されている発掘調査によって、考古学と文献との協働による成果により成されたのである。ここでは、葛西城の発掘調査成果と関東公方足利義氏との関係性から武家の格式とそれを担保する威信材《いしんざい》について紹介してみたい。まず関東公方となる関東足利氏の系譜から筆を進めていこう。

足利尊氏《たかうじ》が開いた室町幕府は、幕府の財政を管理する政所《まんどころ》、京都内外の警備や刑事裁判をつかさどる侍所《さむらいどころ》、記録や文書の保管を行う問注所《もんちゅうじょ》を設け、それらの諸機関は管領職《かんれいしき》によって統括されていた。また幕府は、東国統治の行政機関である鎌倉府、九州には九州探題を置いて地方の統括にもあたった。

鎌倉府は、当初足利尊氏の嫡子義詮《よしあきら》を鎌倉に入部させ、関東の統治にあたらせた。しかし、高《こうの》師直《もろなお》と尊氏の弟の足利直義《ただよし》の対立から観応《かんおう》の擾乱《じょうらん》が起こったので、義詮が京都へ呼び戻され、将軍の補佐をすることになった。正平四・貞和五年（一三四九）に、義詮に代わって弟基氏《もとうじ》が鎌倉に入って、鎌倉府の基礎を築き、鎌倉公方と呼ばれるようになった。鎌倉公方は、二代氏満《うじみつ》、三代満兼《みつかね》、四代持氏《もちうじ》へと基氏の子孫に代々受け継がれた。

関東では、京を中心として応仁の乱が勃発するよりも早く戦乱の世に突入する。応永二十三年（一四一六）に上杉禅秀《ぜんしゅう》の乱が起き、これを契機として、永享十年（一四三八）に足利持氏と関東管領上杉憲実《のりざね》が対立して永享の乱が起こる。翌年、持氏が自刃して果て、鎌倉公方と鎌倉府という行政機関は消滅してしまう。嘉吉元年（一四四一）、六代室町将軍足利義教《よしのり》が赤松満祐《みつすけ》に殺害されるという嘉吉の乱が起こり、その後七代将軍となった義勝《よしかつ》も在任九ヶ月で死去するなど、東国だけでなく京都の幕府を動揺させる出来事が相次いで発生する。

大安四年（一四四七）頃、鎌倉府の再興が進められ、持氏の遺子永寿王丸《えいじゅおうまる》が鎌倉公方に就任し、宝徳元年（一四四九）に八代室町将軍に就任した義成《よししげ》（後に義政《よしまさ》に改名）の一字を与えられ足利成氏《しげうじ》と名乗った。これによって鎌倉府は再興されたのであるが、享徳三年（一四五四）、成氏は敵対する関東管領上杉憲忠《のりただ》（憲実の子）を謀殺する事件を起こし、関東はさらに混迷を増す事態となる。世にいう享徳の乱の勃発である。成氏が各地を転戦している隙に、室町幕府に成氏討伐を命じられた今川範忠《のりただ》が鎌倉を占拠したため、成氏は鎌倉から利根川上流の古河《こが》（茨城県古河市）へ御座所《ござしょ》を移し、以後成氏は古河公方と称されるようになる。古河公方は、二代政氏《まさうじ》、三代高基《たかもと》、四代晴《はる》氏《うじ》、五代義氏と続くが、義氏には男子がなく、古河公方家は義氏の死をもって消滅する。しかし、天正十八年（一五九〇）の小田原北条氏滅亡後に、豊臣秀吉によって義氏の娘氏姫《うじひめ》と足利国朝《くにとも》との婚姻を成立させ、下野国喜連川《きつれがわ》に所領を与え、古河公方家を再興させた。

鎌倉公方と古河公方は室町将軍家の血筋を引き、関東の将軍とも呼ばれる存在であり、御座所によって尊称が異なることから、ここでは総称して関東公方と称しておきたい。

2、葛西城をめぐる攻防

享徳の乱の勃発により、関東は利根川を挟んで武家勢力は西岸に上杉・幕府方、東岸に足利方が対峙するという極度の軍事的緊張状態に陥ってしまう。関東各地に軍事的な拠点「城」が多く構築されるのも、この乱を契機としている。この享徳の乱によって武蔵野台地と下総《しもうさ》台地に挟まれた東京低地も、江戸川を境に東方の成氏勢力と睨み合う山内上杉氏の最前線となった。隅田川西岸の台地上の江戸城には扇谷《おうぎがやつ》上杉氏方の太田資清《すけきよ》・資長《すけなが》（道灌《どうかん》）が入り、隅田川東岸の臨海部に位置する葛西城は山内上杉氏方が守備し、成氏の動きを牽制していた。寛正二年（一四六一）、成氏が葛西城を攻めたとする記録や、発掘調査によっても十五世紀後半頃の堀跡が発見されており、葛西城は享徳の乱前後に山内上杉方の軍事的な拠点として青戸の地に築城されたものと考えられている。

最初の葛西城主は武蔵守護代大石氏の一族大石石見守《いわみのかみ》で、入城後も子孫は代々石見守を名乗っていた。寛正三年（一四六二）から文明十年（一四七八）頃までの一時期、上杉方の千葉実胤《さねたね》が入城したともいわれている。しかし、その後は、小田原北条氏によって攻略されるまで再び大石氏が葛西城に入り、山内上杉氏の関東最南端の前線葛西の守備にあたっていた。大永四年（一五二四）、小田原に本拠を構える北条氏綱《うじつな》は、関東に勢力を誇っていた上杉氏の内紛に乗じ、関東進出を企《くわだ》て、江戸城を攻略し、葛西に迫る。この時は、後詰めもあって何とか小田原北条氏の進攻に耐えたが、天文七年（一五三八）二月二日、ついに葛西城は北条氏綱に攻略されてしまう。

同年十月、下総へ進攻してきた足利成氏の孫にあたる小弓《おゆみ》公方足利義明《よしあき》と房州の雄里見義堯《よしたか》は、武蔵と下総の国境である太日川《ふとひ(い)かわ》（江戸川）を挟んで国府台《こうのだい》に陣取り小田原北条氏と対峙し、刀を交える。両勢力激戦の末、北条氏綱・氏康《うじやす》親子は足利・里見の連合軍を打ち破り、北条方の勝利に終わった。この勝利によって葛西地域は、小田原北条氏の勢力下に組み込まれる。

しかし、永禄三年（一五六〇）に事態は急変する。長尾景虎《ながおかげとら》（後の上杉謙信）が反北条勢力を束ね関東に進撃し、北条氏の本拠地である小田原城下まで軍を進める。反北条勢力の進攻によって葛西城も落ちてしまう。

小田原城を包囲した景虎は、永禄四年（一五六一）三月に鎌倉の鶴岡《つるがおか》八幡宮で上杉氏の名跡を継ぎ、関東管領に就任して名を上杉政虎《まさとら》と改めた後、越後へ退去する。上杉政虎が去った関東では、小田原北条氏の攻勢が開始される。葛西城についても永禄五年（一五六二）三月以降、小田原北条氏は本田氏を使って葛西城の乗っ取りを画策する。その交渉の様子は「本田文書《ほんだもんじょ》」として伝来しており、「忍《しのび》」も登場するなど興味深い史料である。永禄五年四月二十四日、小田原北条氏の攻撃により葛西城は落ち、反北条勢力から奪取するが、この葛西城攻略は本田氏だけの力ではなく、小田原北条方の太田《おおた》康資《やすすけ》が攻撃の指揮にあたっていた。

その後、永禄七年（一五六四）、太田康資が里見方へ寝返り、これを契機に北条氏康と里見義弘は国府台で再び戦火を交えることになる。小田原北条氏は、当初名だたる武将が討ち取られるなど苦戦するが、何とか形勢を挽回《ばんかい》して勝利する。先の戦を第一次国府台合戦、後の戦を第二次と呼んでいる。この第二次国府台合戦以降、葛西地域は小田原北条氏の支配領国として積極的に領国の経営を進めていく様子が史料などからもうかがえる。また、天正期の史料によると、葛西周辺の兵力が葛西城に集結して各地へ派遣されていることから、葛西城は前線基地から、遠く延びた前線への補給基地としてその役割を変えて行ったことが知られる。

関東で小田原北条氏が領国の拡大に野心を燃やしていた頃、信長の天下統一を引き継いだ豊臣秀吉は、天正十三年（一五八五）に四国を平定、天正十五年（一五八七）には九州を平定し、関東や奥州へ触手を伸ばしていく。天正十八年（一五九〇）、二〇万を越える秀吉軍が小田原を目指して進軍した。小田原城が秀吉の大軍に包囲されているなか、関東の小田原北条氏の諸城では激戦が繰り返され、次々に攻略あるいは開城させられていく。七月五日、ついに当主の北条氏直は降伏、五代に亘る小田原北条氏の関東支配はここに終焉《しゅうえん》を迎えた。

この秀吉による小田原攻めの時、天正十八年四月二十二日には、江戸城は浅野長吉《あさのながよし》（後の長政《ながまさ》）や徳川家康配下の本多忠勝《ほんだただかつ》・鳥居元忠《とりいもとただ》・平岩親吉《ひらいわちかよし》の軍勢の前に開城降伏している。しかし、葛西城だけは孤軍奮闘していた。徳川家康の家臣戸田忠次《とだただつぐ》の家伝によると、江戸城をはじめ周辺の小田原北条方の城が開城降伏するなかで、葛西城のみが降伏しなかったので、忠次が攻め落としたと記されている。葛西落城の正確な月日は不明であるが、おそらく四月二十九日前後と考えられる。葛西地域も、葛西の要、葛西城の落城をもって中世の終焉を迎え、近世という新しい時代へと移行するのである。

３、出土した威信材と武家の価値観

葛西城関連の史料を見ると、天文七年（一五三八）に北条氏綱によって奪取されてから永禄二年

（一五五九）に「小田原衆所領役帳」が作成されるまでの約二〇年間の葛西城や葛西地域についてては不明な点が多く、歴史的にも空白期であった。永禄期以降には史料も豊富になることから、見過ごされていた時期であった。しかし、考古学的には葛西城からは十五世紀後半から十六世紀代の遺物や遺構が確認されていることから、特段その時期が空白期というわけではなかった。ただ時期的な問題というよりも、出土している遺物のなかに、どうしてこのような品物が葛西城から出土するのだろうという疑問が考古学側にはあった。

そもそも葛西城には石垣も天守もなく、あまり重要な城ではないと思われていた。環状七号線道路建設に伴う発掘調査が行われた後も、天文・永禄に起きた房総里見氏との国府台合戦に備えて急きょ築造された戦のためだけに造られた砦《とりで》のような小規模な施設として説明されることが多かった。

しかし、葛西城本丸の十六世紀の中頃の遺構から出土した中国元代の青花器台《せいかきだい》（【写真1】）や、唐臼《からうす》を模した花弁を施す茶臼《ちゃうす》（【写真2】）は、他の城館などの遺跡から稀《まれ》にしか出土することがない、威信財と呼ばれる希少性の高い優品であった。

室町時代は、幕府によって武家の儀礼や年中行事が整備され、御所などの構造にも主殿《しゅでん》と会所《かいしょ》という新しい空間構成などが採用された時期でもある。主殿は、公家の伝統的な建物の寝殿にあたるところで、会所は広間にあたる。いずれも儀礼の場であり、接客など公共的性格をもった「ハ

写真1　中国現代の青花器台
中国本土でもこれほどの優品は確認されていないという。本来はこの器台の上に青花の瓶が置かれるが、それは出土していない。

写真2　中国の唐臼を模した茶臼
上臼の花弁が珍しく、全国でも10点程度しか出土していないという。領主クラスの本拠や有力寺院跡からだという。
（写真提供：葛飾区郷土と天文の博物館）

レ」の場である。「ハレ」の場に対して、「ケ」の場となる私的生活空間やハレの場を支える機能も持つ空間も備わっている。

「ハレ」の場の主殿では、式三献《しきさんこん》など公の儀式が執り行われる「表」にあたり、会所では、式三献後の宴席、茶・香・花、連歌などが催され「裏」とも表現される場であり、会所には庭園が付随していた。室町時代には、この会所の発達が著しく、主に書院造りで、そこに唐物の調度を置いて室内を飾り付ける室礼《しつらい》が特徴であった。会所の室礼の様子を知る史料として有名なのが、室町時代中期にまとめられた「君台観《くんだいかん》左《そ》右《う》帳《ちょう》記《き》」である。足利将軍家が会所に飾る絵画や茶器・文具類などの唐物を列挙した規範書で、中国の宋や元時代の十三から十四世紀の骨董的な価値を有する高級な美術陶磁をはじめ、絵画などの唐物の美術品に関する価値観が示されている。

武家社会においてこれら中国の骨董的価値のある高級陶磁は、家の格式や権威など示す「ハレ」の場の舞台装置としてなくてはならない威信財（ステイタスシンボル）として重要な器財であったのである。地方の領主や権威者にとって、御所の屋敷空間を模倣し、室町将軍家を頂点とする唐物の室礼の価値観を採用することは、将軍家の権威を背景とした権力の正当性を誇示するために必要な演出であった。威信財は武家社会のステイタスシンボルとして重要な財産であり、それが出土するということは、威信財を保持し得た武士がいたということを暗示している。なぜ葛西城からそのような優品が出土するのか。従来の葛西城のイメージにはそぐわない遺物だからである。

また、小田原で作られたいわゆる小田原系の手づくねかわらけなども考古学的に注目すべき遺物であった（【図1】）。小田原系かわらけは、小田原北条氏の支城などで天正期以降に多く出土するが、葛西城は天正期以前の天文末から永禄初期のものが出土しているのである。船載《はくさい》の青花器台や茶臼、小田原系かわらけの出土は、考古学的には葛西城は何かおかしいぞという雰囲気を感じさせながらも、その背景なり、意義なりについては皆目見当がつかなかった。

4、「葛西様」と考古資料

そのような思いもあって葛西城の第六次調査の折、文献を研究されている方に永禄二年（一五五九）の「小田原衆所領役帳」に「葛西様」とあるが、葛西城や葛西地域とは関係ないのだ

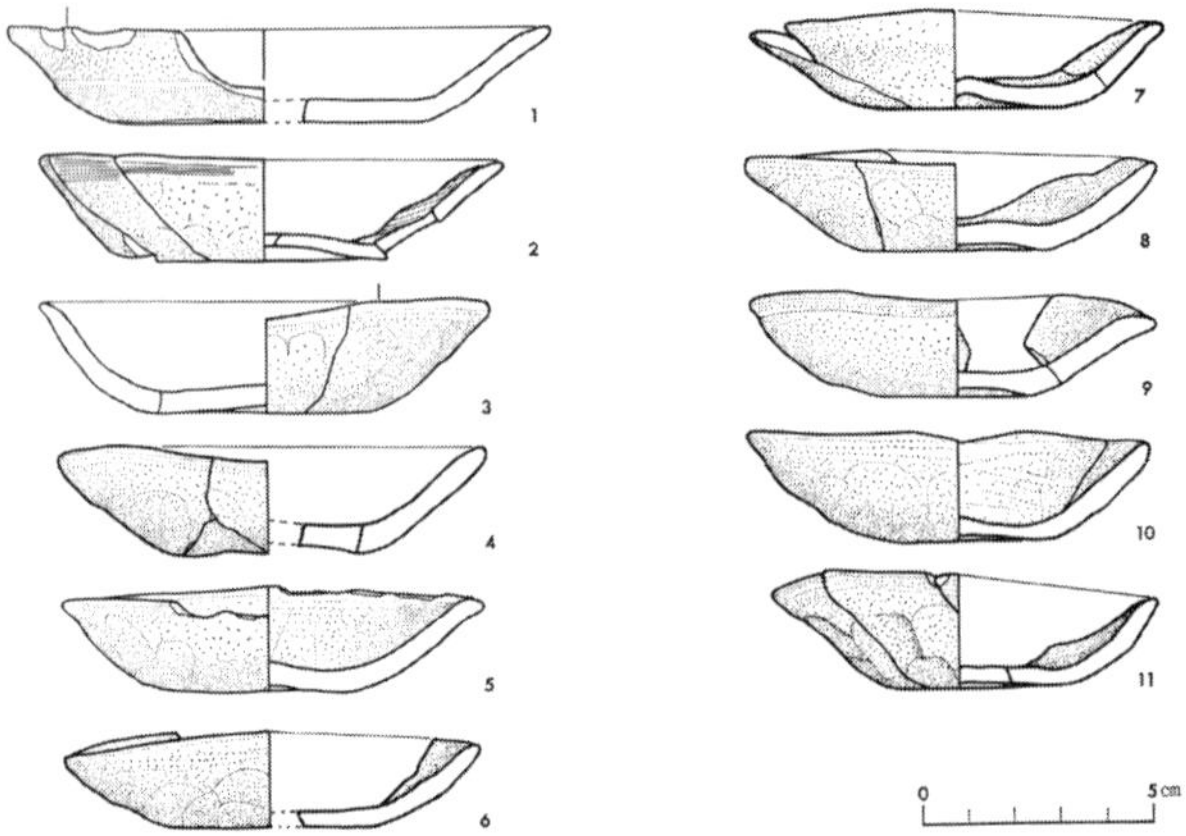

図１　北条氏の本拠小田原から搬入された手づくねかわらけ
饗宴に使われたものを第 81 号井戸に一括廃棄した状態で出土した。わざわざ小田原からかわらけを持ち込むほど重要な儀礼だったのであろう。（谷口：2019）

ろうかという質問をしたことがあった。「葛《か》西様」は古河公方足利義氏のことで、鎌倉の葛西《さい》ヶ《が》谷《やつ》（神奈川県鎌倉市）に御座していたことからの尊称であり、葛西城や葛西地域とは残念ながら関係がないとのことであった。それが二十世紀の「葛西様」に対する一般的な認識であった。

　しかし、二十一世紀に入った平成十四年に佐藤博信氏が「古河公方足利義氏論ノート」を著し、古河公方足利義氏が葛西城に御座していたと指摘したのである。佐藤氏はそれまで、鎌倉の葛西ヶ谷説をとっていたが、史料を丹念に再吟味され、義氏の葛西城御座を解き明かしたのである。佐藤氏の研究によって足利義氏が少なくとも天文二十一年（一五五二）頃から永禄元年（一五五八）頃まで葛西城に御座していたことが明らかとなったのである。それも永禄元年の義氏が鎌倉社参のために葛西城を退去するまで間に、義氏の父足利晴氏とその妻芳春院《ほうしゅんいん》（北条氏綱の娘、氏康の妹）の三人で葛西城に御座していた時期があり、晴氏退去後の義氏元服式も葛西城で北条氏の当主氏康の臨席を得て挙行されていたのである。

葛西城が足利晴氏・義氏が御座し、特に義氏の御座所であったことが確認されたのである。つまり、葛西城は小田原北条氏の単なる最前線の砦ではなく、葛西公方足利義氏の御所（御座所）であり、葛西公方府として重要な政治的役割を有していたことが判明したのである。

葛西城から出土した舶載の青花器台や茶臼、そして、小田原系かわらけについても、時期的に見ても葛西公方足利義氏や小田原北条氏との関係のなかで語ることが可能となったのである。

参考文献

・小野正敏『戦国城下町の考古学―一乗谷からのメッセージ―』（講談社、一九九七年）
・佐藤博信「古河公方足利義氏論ノート―特に「葛西様」をめぐって―」（『日本歴史』第六四六号、吉川弘文館、二〇〇二年）、後に「古河公方足利義氏についての考察―特に「葛西様」をめぐって―」と改題して『中世東国政治史論』（塙書房、二〇〇六年）に再録。
・亀井明徳「コラム5　葛西城址出土の元代青花器台について」（『関東戦乱―戦国を駆け抜けた葛西城―』

葛飾区郷土と天文の博物館、二〇〇七年）
・黒田基樹「足利義氏と小田原北条氏」（『関東戦乱―戦国を駆け抜けた葛西城―』葛飾区郷土と天文の博物館、二〇〇七年）
・長塚孝「山内・扇谷上杉氏と葛西」（『関東戦乱―戦国を駆け抜けた葛西城―』葛飾区郷土と天文の博物館、二〇〇七年）
・谷口榮「廃棄された威信材―葛西城本丸跡出土遺物から―」（佐藤博信編『中世東国論５　関東足利氏と東国社会』岩田書院、二〇一二年）
・谷口榮『東京下町の開発と景観　中世編』（雄山閣、二〇一九年）

12

意外な資料の出現が歴史を変えた

逆転した鮫ヶ尾《さめがお》城の大手と搦手《からめて》

——定説を覆した高田藩士の日記——

佐藤　慎

対象地域
新潟

1、城郭研究のおもしろさ

日本各地の城郭《じょうかく》では、近年、スタンプラリーの開催や御城印《ごじょういん》の配布等の新たな取組によって大きなブームが起きている。その結果、城郭めぐりを旅の目的とする人々のために関連書籍が数多く発行されるようになり、築城年代や城主等の基本情報に加えて、城の構造や設計のことを意味する「縄張《なわば》り」の特徴や遺構の発達過程等を専門的に解説したものも増えている。

こうした城郭ブームを背景に、縄張《なわば》りの特徴を解説するための「曲輪《くるわ》」「堀切《ほりきり》」「虎口《こぐち》」「桝形《ますがた》」等の専門用語が広く知られるようになり、本章で話題の中心とする「大手《おおて》」や「搦手《からめて》」の語も城の構造を理解する上で欠くことのできないものとして定着しつつある。

大手とは城の正面、正門のことであり、搦手とは城の裏手、裏門のことである。前者の大手は、城下町において大手町や大手門等の語として地名化し、自治会名や交差点名等として残っていることが多いため、現在の私たちにも比較的馴染《なじ》みのある語となっている。

一般に城郭研究は文献、考古、地理、民俗等の様々な学問分野からのアプローチが可能であるため、過去に一定の評価を得た城郭についても、新資料の発見によって歴史像が大きく変わる可能性がある。特に地域の拠点となった城郭は、その土地がもつ地理的特性や歴史的重要性を物語る第一級の資料であるため、古くから研究者や地域住民の関心が高く、現在に至るまでに多くの学説が生まれてきた。こうした学説は、新たな文献の発見や遺跡の発掘によって裏付けられることもあれば、覆《くつがえ》ることもある。そこに地方史研究のおもしろさがあるとする立場から、本章では定説化していた中世山城の大手と搦手の位置が一点の意外な文献の出現によって完全に逆転した事例として、越後《えちご》国頸城《くびき》郡に築城された鮫ヶ尾《さめがお》城を取り上げてみたい。

2、鮫ヶ尾城の歴史と三つの登城道

鮫ヶ尾城跡は越後国と信濃《しなの》国の国境に位置する現在の新潟県妙高《みょうこう》市に所在する。城は国境警固のための拠点の一つとして、越後の戦国大名・上杉氏が居城を構えた春日山と信濃・川中島を結ぶ街道（後の北国往還、通称「北国街道」）に面した丘陵部に築城された。現在鮫ヶ尾城跡とされる部分は尾根筋を加工した要害部分であり、その麓《ふもと》には城将の居館に比定される立ノ内館跡《たてのうちやかたあと》が存在する。築城時期や歴代城主に関する同時代史料はなく、城名が登場する唯一のものが廃城の直接の原因となった御館《おたて》の乱に関するものとなっている。この御館の乱とは、上杉謙信《うえすぎけんしん》が没した天正六年（一五七八）三月に始まる上杉景虎《うえすぎかげとら》と上杉景勝《うえすぎかげかつ》による後継者争いのことであり、天正七年（一五七九）三月に敗走する景虎が鮫ヶ尾城で自害し、城はこのときの戦火で焼亡したとされている（実際に発掘調査では被熱した陶磁器片や炭化した握り飯が多数出土している）。この景虎の最後を伝える史料には鮫ヶ尾城将として堀江宗親《ほりえむねちか》が登場しており、この堀江が、川中島合戦時の国境付近での動きから上杉氏の旗本の一人と目されることから、鮫ヶ尾城は堀江を城代《じょうだい》とする上杉氏の番城《ばんじろ》（上杉氏が直轄する拠点城郭）の一つであったと推測されている。

この鮫ヶ尾城跡には古くから三つの登城道があり、現在は北登城道《きたとじょうどう》、東登城道《ひがしとじょうどう》、南登城道《みなみとじょうどう》と呼び分けている。最も一般の利用が多いのは北登城道である。

北登城道は宮内《みやうち》集落（以下「宮内」とする）に所在する延喜式内斐太《えんぎしきないひだ》神社の脇から登る山道である。神社と山城の間には弥生の山城と称される高地性環壕集落《かんごうしゅうらく》の斐太《ひだ》遺跡が存在し、昭和五十年代から史跡散策の拠点として駐車場・ガイダンス施設・遊歩道が一体的に整備されてきた。登城道は沢を横断してうす暗い杉林の間を進む道であり、途中に堀切はなく、山頂部に近づくと切岸《きりぎし》や帯曲輪《おびくるわ》が見えてくる。

東登城道は宮内と神宮寺《じんぐうじ》集落（以下「神宮寺」とする）の間から登る山道であり、斐太神社のすぐ裏手が尾根筋となっている。平成十二年（二〇〇〇）に尾根の末端部で斐太遺跡の一部が新たに発見されて以降刈払いが進み、登城道として本格的に利用されるようになった。この登城道は尾根を分断する堀切が多いところに特徴がある。

南登城道は籠町《かごまち》集落（以下「籠町」とする）の最奥部から登る山道である。尾根が急傾斜であるため足に負担がかかるが、歩行距離は最も短く、短時間で山頂部に到達することができる。登城道の入口が集落の外れにあり、しかも駐車場が整備されていないため、特別なイベント時を除くと利用する人はごくわずかである。

鮫ヶ尾城跡では山城が文化財に指定された頃から三つの登城道のどれが大手なのかという議論が行われてきた。現在、山麓のガイダンス施設で配布している縄張り図《なわばりず》（【図１】）では、半世紀以上に及んだ大手に関する議論の結果をただ一言「南登城道（大手口）」とだけ表記している。本章においては地方史のおもしろさとして採り上げるのは、この短い一言が誕生するまでの秘話である。

３、鮫ヶ尾城の大手と搦手

鮫ヶ尾城という城名が一般化するのは昭和十六年（一九四一）に刊行された『中頸城郡誌《なかくびきぐんし》』の「鮫ヶ尾城址」以降であり、戦国時代の史料では「さめかを」「鮫尾」という地名のような名称で登場するだけである。その後、江戸時代になると上杉家を藩主とする米沢藩の歴史書の中で「鮫尾城」「鮫ヶ尾」等の語が使用され、地元の越後国においても「鮫ヶ尾山古城」等の語が用いられ

図1　鮫ヶ尾城跡のパンフレット（妙高市教育委員会発行）

るようになった。続く明治時代には「籠町の古城跡」や「宮内古城」という最寄りの集落名を冠した名称が登場し、山城の正面口がどの集落であるのかという問題が無意識的に提起されるようになった。籠町は現在の南登城道の入口、宮内は現在の北登城道と東登城道の入口に位置する集落であり、特に宮内と山頂部を結ぶ北登城道は里道（赤道《あかみち》、地図上の無番地）として登記されているため、江戸時代にはすでに村人が頻繁に利用していたとみられる（【図2】）。

昭和三十年代後半に旧新井市において自治体史の編さんが始まると、御館の乱の由緒地として著名であった鮫ヶ尾城跡の縄張り調査が真っ先に行われ、昭和三十八年に「新井市にのこる二城址について　鮫ヶ尾城址」（『郷土乃新井』第一〇号）が発行された。この報告は県立新井高校郷土史クラブが実施した現地測量の成果をまとめたものであったが、その内容は縄張りの分析に留まらず、山麓の乙吉《おとよし》集落内に所在する立ノ内館跡との関連性や史料が伝える城歴にまで話題が及ぶ本格的な内容であった。山城の大手に関する直接の言及はみられないが、籠町の最奥部に元屋敷の地名とともに虎口を構成したとみられる土塁《どるい》の一部が残存することを指摘しているため、籠町側（南登城道）を大手と考えていたようである。しかし、高校生が作図した縄張り図を初めて掲載した昭和四十一年の「頸南の城館跡」（『頸南《けいなん》』）では、籠町から登る南登城道ではなく、山頂部と宮内を結ぶ北登城道に対して「旧大手道」の語を当てている。つまり、この報告では一転して里道として頻繁に利用されていた宮内側を山城の正面とみたのであった。

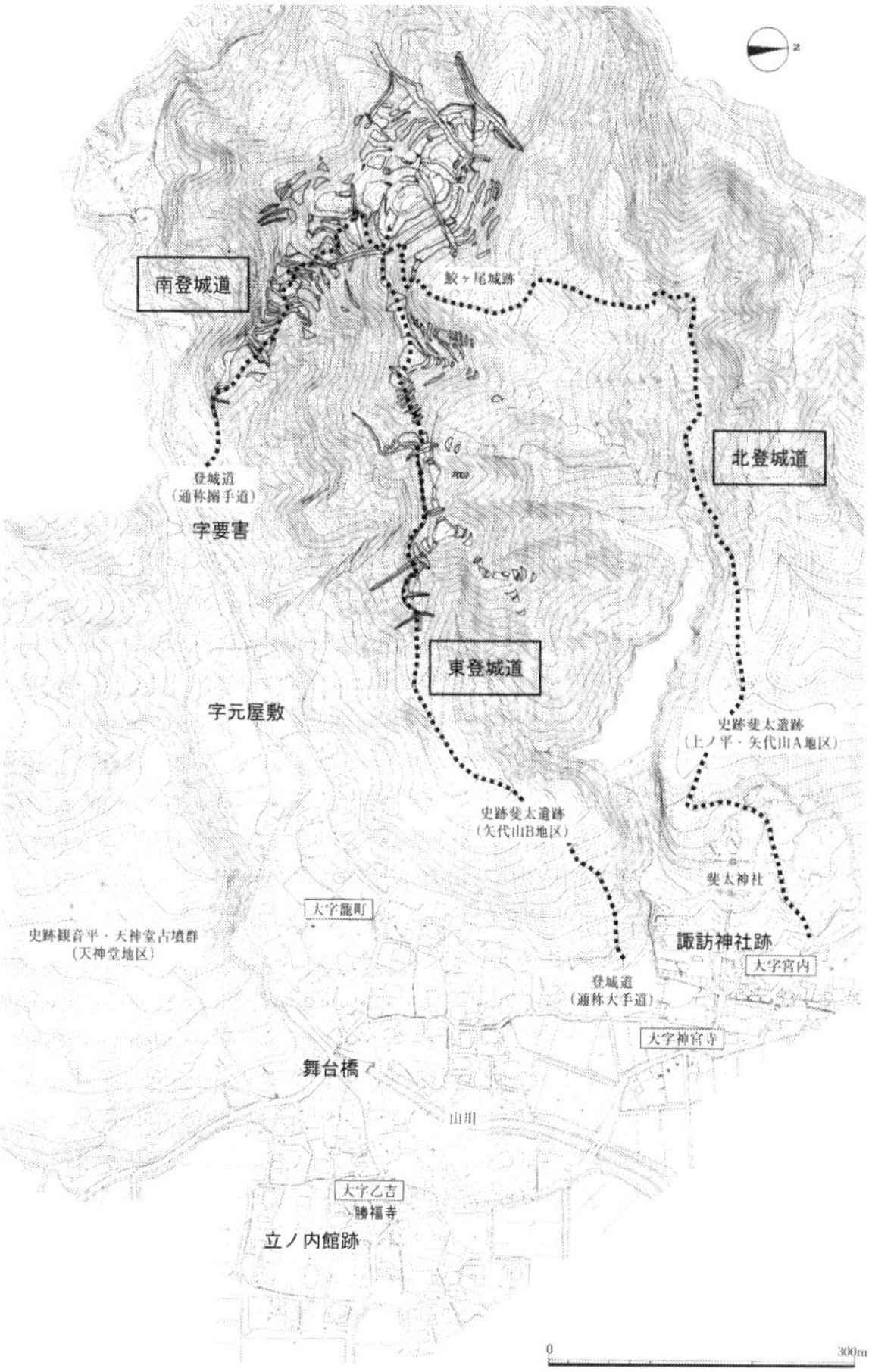

図２　鮫ヶ尾城跡周辺図（妙高市教育委員会 2008 に加筆）

続いて、昭和五十二年に始まる県立直江津高校社会部が実施した現地測量の成果報告書として、昭和五十五年に「新井市の城館跡（一）」（『昭和五十四年新井市文化財調査報告書』）が発行された。この報告書は、山頂から東に延びる長い尾根筋を山城の中軸線と捉え、鮫ヶ尾城は直線的に並ぶ本丸・東一の丸・東二の丸を核とした三地区の連合体であると評価した。また、初めて大手と搦手に関する明確な言及があり、「大手道は、神宮寺から尾根伝いに東二の丸、東一の丸を経て登る道であり、搦手道は南側、山川の岸から登り、井戸郭を経て本丸へ通ずる道であろう」とした。この大手とされた神宮寺から尾根伝いに登る道というのは東登城道、搦手とされた山川の岸から登る道というのは南登城道のことである。平成十二年に東登城道沿いで斐太遺跡矢代山Ｂ地区が発見されたときには、この東登城道を大手道とする理解が地元住民の間では広く定着し、先祖代々からの伝承のようになっていた。

なお、この間の昭和六十年に鮫ヶ尾城跡の鳥瞰《ちょうかん》図（【写真１】）が作成されることになるが、鳥瞰図は宮内側から眺望した構図で描かれており、その解説文等では東登城道が大手道として扱われた。

その後、大手に関する議論が再燃したのは、平成十三年から十五年にかけて山城全域を対象に改めて縄張り調査を実施したときのことであった。大規模な雑木伐採と専門の測量機器を用いた実測調査で新たに判明したことは、鮫ヶ尾城の縄張りは中心部となる「北遺構群」、南登城道沿線

写真１　鮫ヶ尾城跡の鳥瞰図（妙高市教育委員会蔵）

の「南遺構群」、東登城道沿線の「東遺構群」という三つのまとまりで捉えることができ、東遺構群よりも南遺構群の方が北遺構群と連続性や一体性があり、自然地形を残すことなく徹底的に加工していることである（【図3】）。そして、南遺構群と北遺構群が接続する部分には城内では唯一となる明確な虎口があり、防御の要となる城門の存在が想定されることから、虎口と接続する南登城道が大手と呼ぶにふさわしいということである。

この大手と考えた南遺構群では、最初の堀切を越えた先から尾根筋に幅一メートル～二メートル程の細長い傾斜面が左右に屈折しながら山頂に向けて造成されている。これは当時の登城道の痕跡であり、道に沿って柵や塀を効果的に設置することによって敵兵の進軍路を制約することができ、多方向からの一斉攻撃を防ぐことを可能としている。こうした道路遺構の存在も南遺構群が正面口として入念に整備されたことの証拠となり得るものである。

さらに、南登城道の入口付近の小字《こあざ》は山城そのものを指す「要害《ようがい》」であり、その隣接地には「元屋敷《もとやしき》」の小字も残っている。要害や元屋敷の小字は狭い谷地形に付されており、谷の中央を流れる山川は、鮫ヶ尾城の根小屋《ねごや》（城将の居館）である立ノ内館の外堀の役割を果たした河川である。山川が形成したこの谷は立ノ内館と鮫ヶ尾城を最短で結んでいるため、城下に戦火が及んだときには要害である鮫ヶ尾城への退路となったに違いない。

なお、昭和五十五年を境として大手道とされた東登城道（東遺構群）は、尾根筋の加工が途中で終わっており、麓の緩斜面には弥生時代後期に営まれた斐太遺跡が破壊を免《まぬが》れて良好に残存している。この部分に山城の普請《ふしん》が及んでいないということは、敵軍の駐屯を可能とする広い空間を山麓に残しているということであり、要害の弱点が克服されていないことに他ならない。こうした状態から考えられることは、東遺構群は中心部が完成した後に追加で普請が進められた拡張部であり、完成する前に御館の乱が勃発し、拡張工事が停止したというものである。

以上、新たな調査成果から導き出された大手道は南登城道であり、東登城道を大手道としてきたこれまでの定説に真っ向から対抗する結果となった。

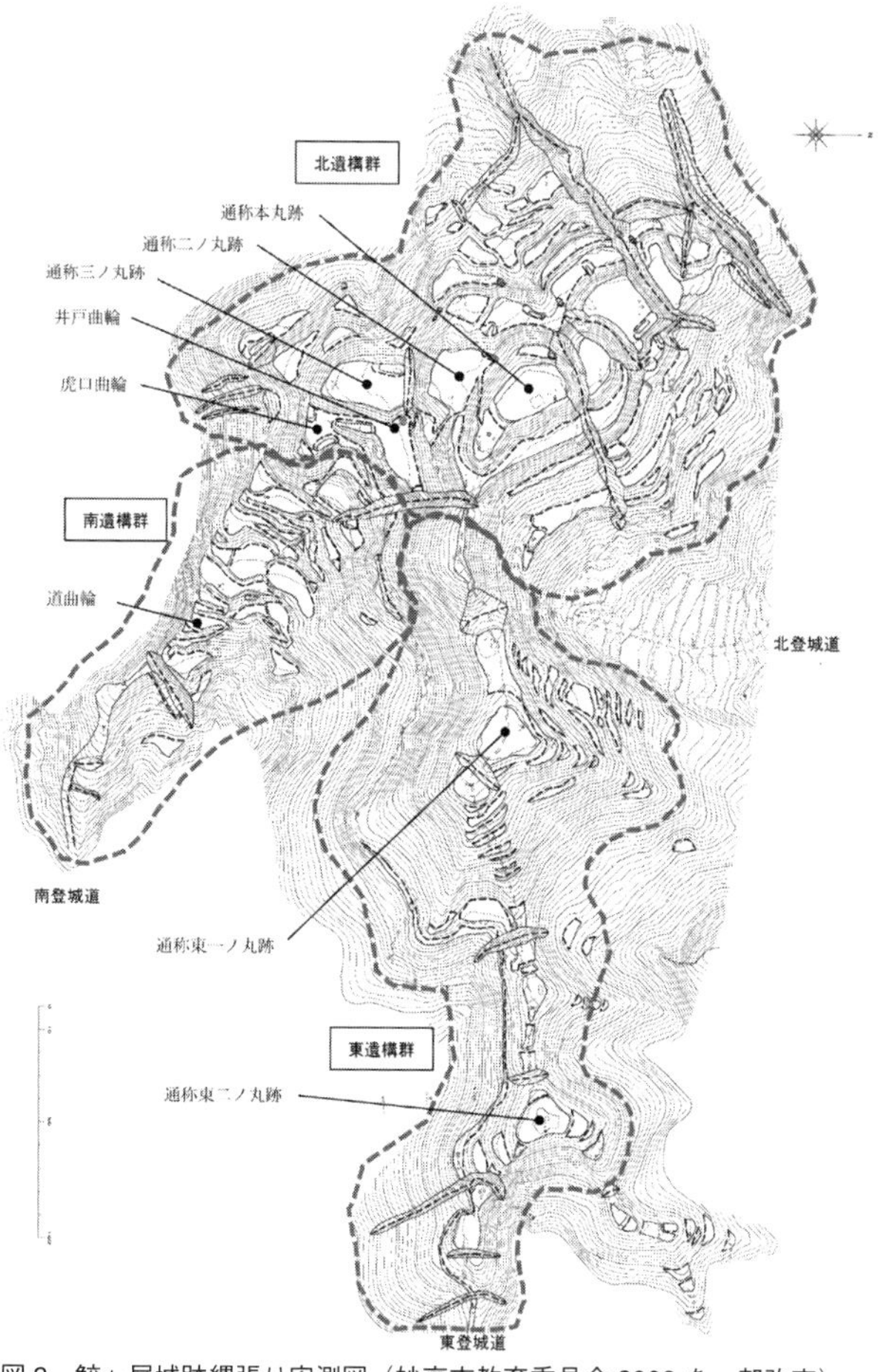

図３　鮫ヶ尾城跡縄張り実測図（妙高市教育委員会 2008 を一部改変）

4、定説を覆した高田藩士の日記

縄張りの再検討や城下に伝わる小字の分析から城域の南側（南登城道）を大手と評価するに至ったが、これらはいずれも状況証拠にすぎないため、調査報告書（『斐太歴史の里確認調査報告書Ⅲ　鮫ヶ尾城跡　立ノ内館跡』）の縄張り図では、東登城道を「通称大手道」、同じく南登城道を「通称搦手道」と表記するだけに留め、大手と搦手の位置については将来的に逆転する可能性があることを本文中に記し、今後の研究の進展を待つこととした。

その後、この予想は的中し、平成二十五年の『斐太歴史の里の文化史』の編纂の中で、白石林《しらいししげ》文《ふみ》（以下「林文」とする）という高田藩士が鮫ヶ尾城の登り口のことを日記に書いていることを知り、その中に決定的な記述を見つけることができた（浅倉：二〇一四）。最後に、鮫ヶ尾城跡の大手と搦手の位置を逆転させる上で決め手となった林文の日記を紹介して結びとしたい（林文については『上越市史』通史編4近世二の第五章に詳しい記述があり、日記の原文は上越市公文書センター所蔵のマイクロフィルムにより閲覧が可能）。

林文は高田藩榊原《さかきばら》家に仕える下級武士であり、天保十一年（一八四〇）四月四日に友人らと「鯖《さば》江《え》（鮫ケ尾）古城」の見物に出かけた。古城までの経路については「茶屋町村・稲荷村・地頭方村・ユキ（雪森）村・宮内《みやうち》村に至り、諏訪神社の堂裏より山手へ懸《かか》り、それより古城の搦手え《（へ）》山の草木を押分けよち《（じ）》登り、本城・二丸、帯曲輪・兵糧蔵《ひょうろうぐら》曲輪、三の丸等一覧す」と記している。こ

写真2　井戸跡から望む鮫ヶ尾城跡の中心曲輪（2020年8月、筆者撮影）

こで登場する「諏訪神社」とは当時「諏訪大明神」と呼ばれていた現在の斐太神社のことであり、斐太神社は当時と変わることなく宮内に鎮座している。したがって、このときの林文たちは宮内の斐太神社の裏手から続く山道を搦手と呼んで登ったのであり、それは「堂裏より山手へ懸り」という表現からすると、神社の裏からただちに尾根筋に至る現在の東登城道であったと考えて間違いない。

林文はさらに日記の中で鮫ヶ尾城に関する情報を補足し、「南大手にて、北搦手也、本丸より東南の方、一段上（下）に古井戸あり、宮内村諏訪の神社丑寅《うしとら》（北東）の方、鬼門にあるなり、大手え《（へ）》籠町村より也、浦（裏）手宮内村より也」と記している（【写真2】）。林文はその頃に一般に通用していた情報を基に籠町側を大手、宮内側を搦手とする理解で山城見物を楽しんだのであった。

昭和の時代から二転三転してきた鮫ヶ尾城の大手と搦手をめぐる議論は、籠町側の南登城道を大手、宮内側の東登城道を搦手として解説する林文の日記の出現によってようやく決着したのである。

参考文献

・妙高市教育委員会『斐太歴史の里確認調査報告書　鮫ヶ尾城跡　立ノ内館跡』（二〇〇八年）
・浅倉有子「地域と斐太神社との関わりの諸相」（『斐太歴史の里の文化史』妙高市教育委員会編集・発行、二〇一四年）

13

寺院資料の調査・整理からわかること

真宗末寺のしたたかさ
―能登乗念寺直参への軌跡―

石田文一

対象地域
石川

1、はじめに

本章で取り上げる乗念寺《じょうねんじ》は、石川県鹿島《かしま》郡中能登町能登部下《のとべしも》に所在する、浄土真宗本願寺派に属する寺院である。中能登町は、能登半島のつけ根の、羽咋《はくい》市〜七尾《ななお》市間に広がる邑知地溝帯《おうちちこうたい》と呼ばれる平野部にあり、乗念寺はその北側縁辺部に連なる眉丈山《びじょうさん》系の麓《ふもと》に寺基を構えている。山号を「明星山《みょうじょうさん》」というが、これは同寺の所在地である名乗山《みょうじょうさん》に因《ちな》むとされる（【図1】、近世の乗念寺境内絵図。なお、図および本文中の資料はすべて乗念寺所蔵）。

加能地域史研究会では、平成二十八年より会員有志が乗念寺所蔵文書・什物《じゅうもつ》等の調査・整理を実施し、同三十年に中能登町教育委員会より古文書目録が刊行された。それではその調査成果に導かれながら、近世における乗念寺の動静を紹介することとしたい。

図１　近世の乗念寺境内絵図（「法明帳　三」見返し）

2、乗念寺の草創

　加賀藩が貞享二年（一六八五）に全藩的に徴集した「由緒書上《ゆいしょかきあげ》」（井上：一九七四）によると、乗念寺は天正二年（一五七四）、正清《しょうせい》によって開かれたとされる。同寺所蔵文書は、明応三年（一四九四）を上限としており、戦国期には先行形態としての道場が成立していたものと思われる。寛永五年（一六二八）成立の「上野組半郡人別帳《うえのぐみはんごおりにんべつちょう》」（若林：一九七〇）にも「道場　乗念寺」として名請《なう》けされており、在地にあっては道場と認識されていたことが窺われる。

　永禄～天正期に本願寺から発給された御印書《ごいんしょ》【図２】、本願寺御印書）の多くが「鹿島郡廿日講《かしまぐんはつかこう》」に充《あ》てられたことを勘案すれば、同講が道場成立母体となったとみられる。廿日講とは、本願寺教団における在地（鹿島郡）の信仰集団で、毎月二十

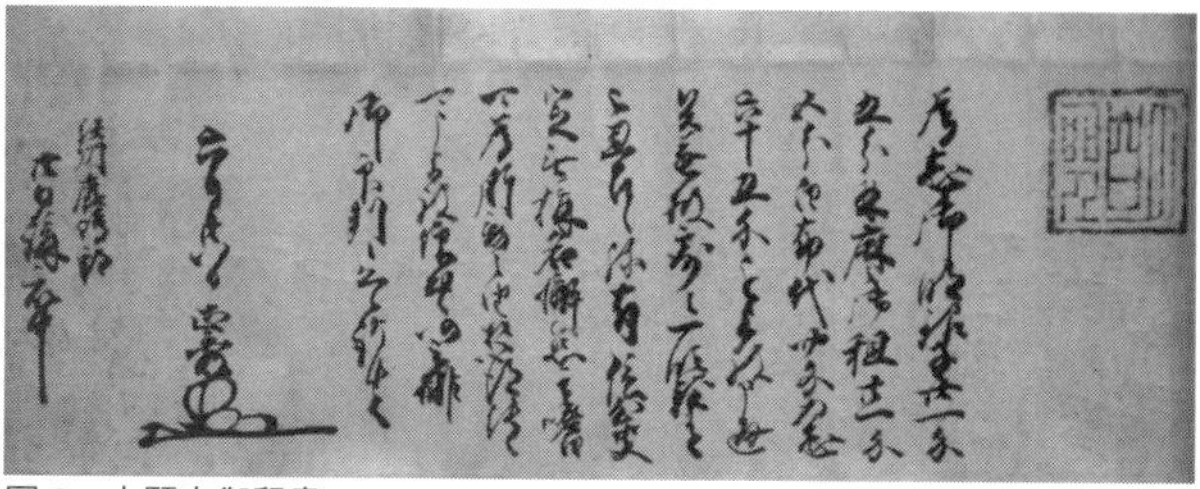
図２　本願寺御印書

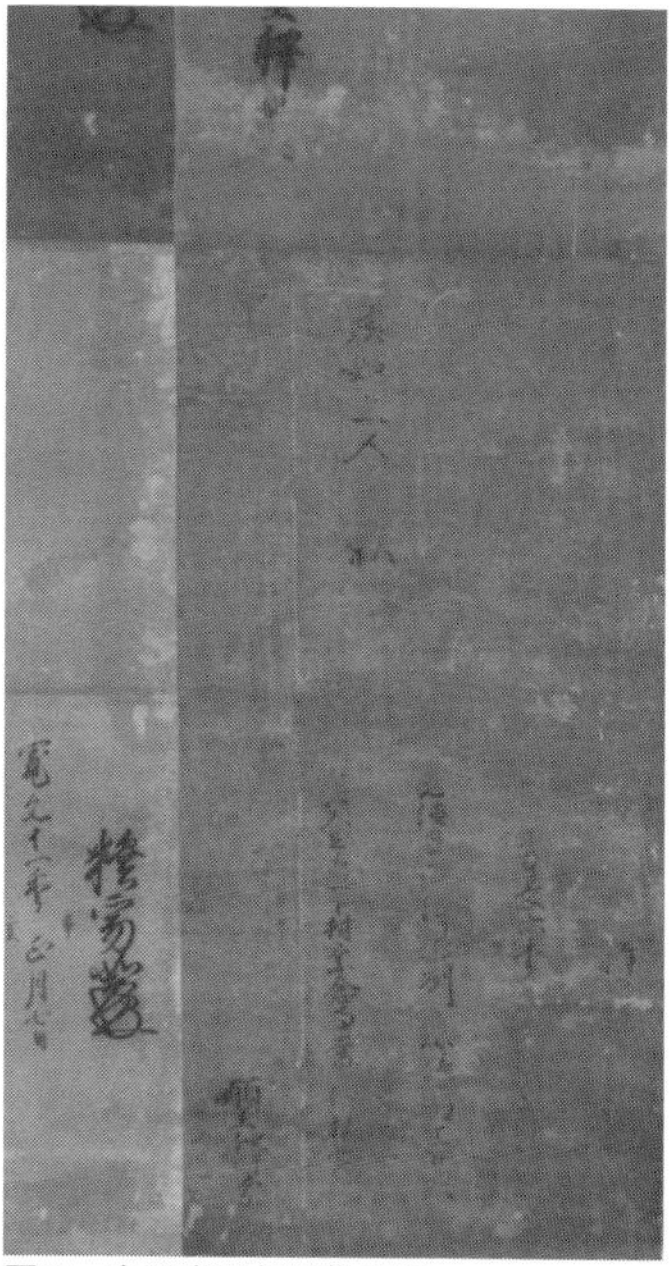
図３　本願寺顕如影像裏書

日に寄合を催していたため、そのように呼称されたと思われる。本願寺の東西分派後は、西方に継承されたと見られるが、近世における廿日講は鹿島郡内の乗念寺・願成寺《がんじょうじ》・明泉寺《みょうせんじ》・瑶泉寺《ようせんじ》等により構成されていた。

乗念寺という寺号の初見は、慶長六年（一六〇一）に本願寺准如《じゅんにょ》から授与された「絹本著色本願寺顕如影像《けんぽんちゃくしょくほんがんじけんにょえいぞう》」の裏書《うらがき》（【図3】、本願寺顕如影像裏書）である。充所《あてどころ》として、「光徳寺□〔円〕徒能州鹿島郡上日庄《あさひのしょう》能登辺〔部〕下村乗念寺」「願主釈慶□〔誓カ〕」と現れている。

真宗寺院の什物の裏書は、多くの場合、本尊や影像類の軸頭裏面に貼付されている。そこには授与物件の名称と授与年月日が明記されており、本願寺宗主《しゅうしゅ》の物件授与の証明となる。と同時に、師弟関係成立の契約を意味する（千葉：一九七〇）。そのため授与物件とほぼ同等の宗教的価値があり、各寺院では大切に伝蔵される。こうした裏書は表具の改装により、本体とは別に軸装されて保管されることもしばしばある。

右の充所から窺われるように、乗念寺は当初「光徳寺門徒」として草創したことが窺われる。両寺は本願寺教団内における本末関係によって結ばれていたことが知られる。

光徳寺は石川県七尾市小馬出町《こうまでまち》に所在する、浄土真宗本願寺派の古刹《こさつ》である（笹田：一九九四）。その開創は、戦国期以前にさかのぼり、加賀国河北郡倉月荘《くらつきのしょう》木越《きごし》村（金沢市木越町付近）に寺基を定めた。文安六年（一四四九）、本願寺蓮如《れんにょ》から三帖和讃《さんじょうわさん》（京都市西本願寺所蔵）を授与され、早くから加賀本願寺教団の中核をなした。加賀一向一揆《いっき》展開の過程で、蓮如より譴責《けんせき》を受けた（光徳寺所蔵七月四日付本願寺蓮如書状、「お叱《しか》りの御文《おふみ》」とも呼ばれる）こともあるが、本願寺教団の教線伸張に寄与したことはよく知られている。

光徳寺は、近世においても本願寺と婚姻関係を結んだ一家衆《いっけしゅう》寺院であり、能登最大の真宗西方寺院として、能登口郡《くちごおり》（鹿島郡・羽咋郡）における真宗西方触頭《ふれがしら》を務め、配下に五二カ寺の触下《ふれした》寺

光徳寺
釋賢
法名
釋助慶
寛文二年七月五日

図４　釈助慶法名書

院を持つ有力寺院でもあった。

3、光徳寺門徒としての乗念寺

寺院文書を調査・整理すると、その由緒や系譜を語る史料とともに、教団内における寺格や身分格（寺院・僧侶の地位）に係わる許状類が伝存している例に遭遇する。

乗念寺の場合でも近世文書として、本尊・什物の授与に係わる文書や、本山（本願寺）に出仕した際の座次《ざじ》に係わる文書、住職の着用する装束に係わる文書などが多数確認された。

それらの充所には、前節で紹介した裏書と同様に、「光徳寺殿下《こうとくじどのした》能州乗念寺」等という記載があり、本山の認識としても、両寺の本末関係を明記していた様子が窺える。

また寛文二年（一六六二）の文書（【図４】、釈助慶《じょけい》法名書）では、光徳寺賢順《けんじゅん》が乗念寺助慶《じょけい》に法名を授与しており、享保二十年（一七三五）にも光徳寺寂慧《じゃくえ》が乗念寺恵空《えくう》に法名を授与している。両者間の師弟関係が存在したことがわかる。

延宝二年（一六七四）、乗念寺は光徳寺に、建立の年号等につき回答した。この年、加賀藩では全藩的な寺社の由緒調査を実施しており、藩の寺社行政上の触頭・触下制度が機能しており、重層的な上下関係が存在していた。

こうした両寺の関係は、乗念寺の活動を規定した。本山との文書往来や什物授与等に際し、発信者・充所として「光徳寺殿門徒」を冠せざるを得なかった。また藩からの通達や上申等は触頭を介して行われ、乗念寺は日常的に本寺・触頭である光徳寺を意識したことであったろう。

４、本末関係の解消と直参化

乗念寺の什物を一覧する時、寛文十一年（一六七一）に親鸞《しんらん》・聖徳太子《しょうとくたいし》・七高僧《しちこうそう》等の影像類が授与されていたことが知られる。同寺の寺号獲得がそれに先行しているため、同じ頃までには木仏《もくぶつ》本尊（阿弥陀如来立像《あみだにょらいりゅうぞう》）が乗念寺に安置されたと思われる。

ところがその木仏本尊は何らかの理由で延享三年（一七四六）以前に失われたとみられる。時の住職であった恵林《えりん》は、おそらく同寺関係者の一人と思われる吉川与右衛門《よしかわようえもん》を証人として、木仏再安置を本山に願い出たところ、宝暦九年（一七五九）、成就することとなった。

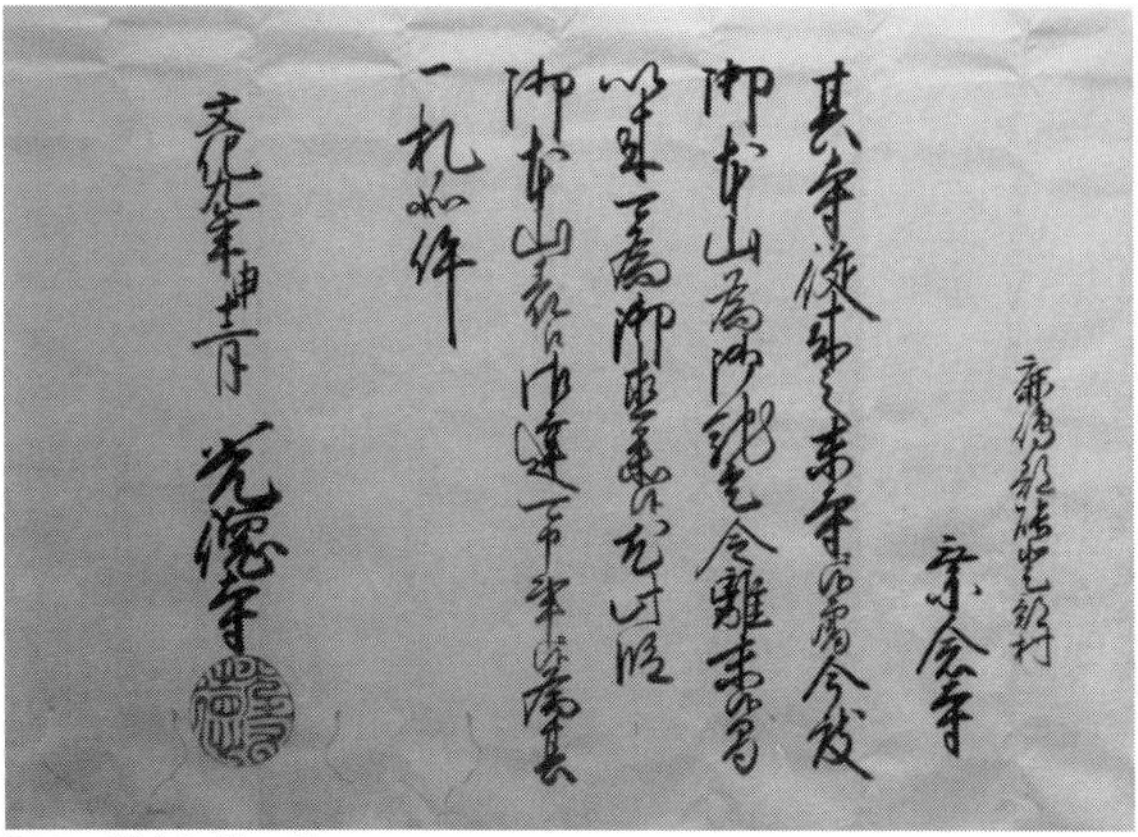

図５　離末に付一札

こうした什物の整備には、当然、門徒・檀家の支援が不可欠で、乗念寺が所在する能登部下《べしも》村の百姓らから、「御年貢不足《おねんぐふそく》」を補う方便として、山地の永代譲与《えいたいじょうよ》を受けたりもした。地域的にも貢献することで、宗教的にも経済的にも寺勢を拡張していたことが知られる。

そうした中で、文化九年（一八一二）、光徳寺は乗念寺に、離末《りまつ》の証文（【図５】、離末に付一札）を認めたのである。

寛文年間以後、乗念寺は本願寺教団内での寺格・身分格を上昇させる。関連文書にも唱われている通り「御《ご》本山《ほんざん》御馳走《ごちそう》の為《ため》」という名分の下、本山に対しても能登部下村の檀那らの支援を背景に、光徳寺からの離末運動を展開していたに違いない。光徳寺が離末の証文を発給した事情として、乗念寺の発展が窺える。

5、光徳寺触下からの離脱

光徳寺との本末関係を解消し、本願寺直参化を果たした乗念寺は、やがて次の行動に出た。触頭光徳寺の触下支配からの離脱である。

先述したように、藩は光徳寺を口郡の触頭とし、藩の寺社行政（国法）を統括させたが、これは本山（本願寺）と末寺間の宗務（寺法）にも適用されていた。本願寺の直参末寺となっても、触頭・触下制度によって、乗念寺はさまざまに縛られていたのである。

次に掲げる文書は、天保三年（一八三二）、乗念寺等七カ寺が、加賀藩寺社奉行に光徳寺触下から離脱し、「御府内御頭寺《ごふないおかしらでら》」（金沢の照円寺）配下となることの承認を求めた願書（【図6】、光徳寺触下離脱の願書の控え）である。

〔翻刻文〕

乍恐書付《おそれながらかきつけ》を以《もって》奉願上候《ねがいあげたてまつりそうろう》

私共《わたくしども》鹿島郡《かしまぐん》府中《ふちゅう》光徳寺《こうとくじ》触下之者《ふれしたのもの》ニ《に》御座《ござ》候《そうろう》処《ところ》、頭寺《かしらでら》光徳《こうとく》

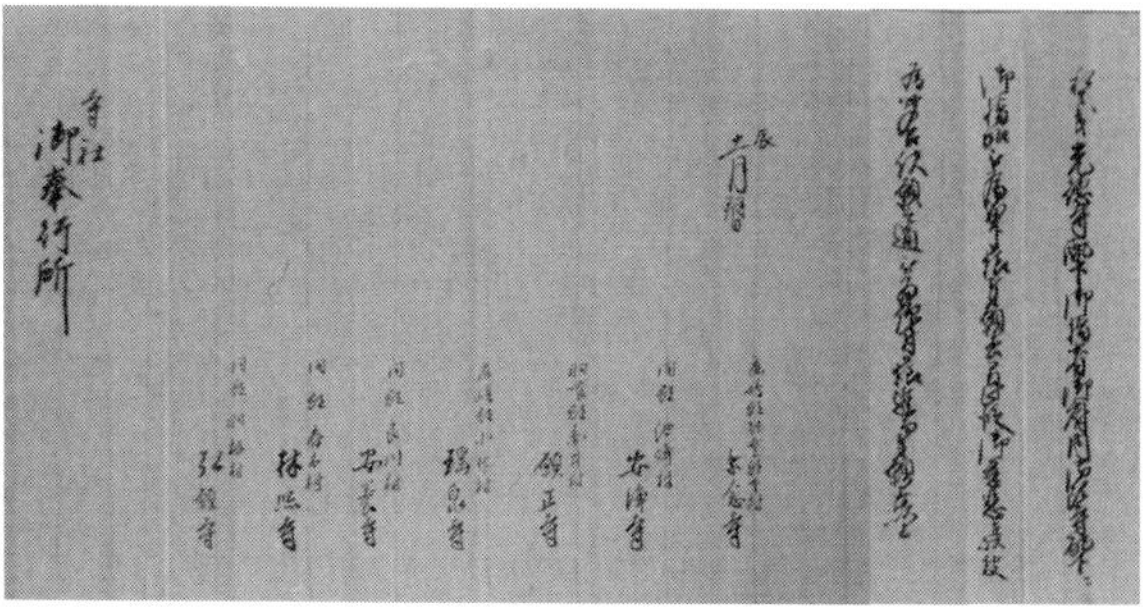

図６　光徳寺下離脱願書の控え

寺義《じぎ》不奉恐国法ニ茂《こくほうをおそれたてまつらずにも》、我儘之取𠮟有之候ニ付《わがままのとりあつかいこれありそうろうにつき》、配下《はいか》私共立行《わたくしどもたちゆき》かたく何《いず》れ茂年来心痛至極仕罷在候《もとしごろしんつうしごくつかまつりまかりありそうろう》、尤右《もっともみぎ》躰不正之行被申聞候節《ていふせいのおこないもうしきかされそうろうせつ》、一往筋合通り《いちおうすじあいどおり》応対仕候《おうたいつかまつりそうろう》者茂御座候所《ものもござそうろうところ》、其者江者重而何事ニ《そのものへはかさねてなにごとに》よらす願方之折弥増《ねがいかたのおりいやましに》察当被致《さっとういたされ》、弥身詰り之場ニ至り難儀仕候《いよいよみづまりのばにいたりなんぎつかまつりそうろう》、①別而近年《べっしてきんねん》諸願事者不及申《しょねがいごとはもうすにおよばず》、御召御用或者後住願等ニ付《おめしごようあるいはごじゅうねがいとうにつき》、雑用《ざつよう》被取立候《とりたてられそうろう》、猶亦宗門官位昇進願之砌者《なおまたしゅうもんかんいしょうしんねがいのみぎりは》、御奉行所江《おぶぎょうしょへ》御伺之上《おうかがいのうえ》、添簡指出可申旨《てんかんさしだしもうすべきむね》、文政五年被仰触候《ぶんせいごねんおおせふれられそうろう》、已後《いご》②御触之御権威を借り《おふれのごけんいをかり》添簡料与申名目を以《てんかんりょうともうすめいもくをもって》、過分之銀高被取立《かぶんのぎんだかをとりたてられ》、指出不申内者《さしだしもうさざるうちは》、御奉行所江御伺茂難成旨《おぶぎょうしょへおうかがいもなりがたきむね》被仰聞候《おおせきかされそうろう》、依之丑年配下一統より《これによりうしどしはいかいっとう》願方仕《ねがいかたつかまつる》義茂無御座候得共《ぎもござなくそうらえども》、承引無之ニ付《しょういんこれなきにつき》、近年昇進之者共《きんねんしょうしんのものども》、無是非過分銀子《ぜひなくかぶんのぎんす》被取立《とりたてられ》、右ニ付《みぎにつき》、難渋私共相続方立行不申《なんじゅうのわたくしどもそうぞくかたたちゆきもうさず》、心痛至極《しんつうしごく》歎入計ニ御座候《なげきいるばかりにござそうろう》、夫ニ付《それにつき》、甚奉恐入願方ニ御座候得共《はなはだおそれいりたてまつるねがいかたにござそうらえども》、何卒私共義光徳寺配下《なにとぞわたくしどもぎこうとくじはいか》御指省《おさしはぶき》、御府内御頭寺配下《ごふないおかしらでらはいか》ニ御指加被為成下候様奉願上候間《におさしくわえなしくだされそうろうようねがいあげたてまつりそうろうあいだ》、此段御慈悲を《このだんおじひを》

以被為聞召訳《もってきこしめさせらるるわけ》、願之通《ねがいのとおり》被為仰付《おおせつけさせられ》候様《そうろうよう》、達而《たって》奉願上候《ねがいあげたてまつりそうろう》、以上《いじょう》、

辰（天保三年カ）　十一月朔日

鹿島郡能登部下村　乗念寺
同郡池崎《いけざき》村　安浄寺《あんじょうじ》
羽咋郡円井《つむらい》村　願正寺
鹿島郡小竹《おだけ》村　瑶泉寺《ようせんじ》
同郡良川《よしかわ》村　安養寺《あんようじ》
同郡春木《はるき》村　林照寺《りんしょうじ》
同郡羽坂《はさか》村　弘願寺《ぐがんじ》

寺社御奉行所

この願書の大意は、触頭の光徳寺は国法を蔑《ないがし》ろにして我が儘の取り扱いがあり、触下寺院の心痛甚だしく、筋合い通りに応対した者へは「察当《さっとう》（酷い扱い）」により難儀していた。そこで「諸《しょ》願事《ねがいごと》」・「御召御用《おめしごよう》」・「後住願《ごじゅうねがい》」などで「雑用《ざつよう》（手数料）」を徴収し（傍線部①）、宗門官位昇進に際し、文政五年（一八二二）の御触を盾にとり「添簡料《てんかんりょう》」という銀子を取り、応じなければ寺社奉行への伺いもせず（傍線部②）、乗念寺等の触下寺院は存続しがたい。こうした難渋の事情を寺社奉行所に訴え出たのである。

右の願書で乗念寺は、日下《にっか》（日付の真下）に署名しており、この訴えを主導したものと推測される。そこには文化九年の本末関係の解消・直参化の影響が窺われる。

訴えに連なった寺院は七カ寺で、触頭光徳寺支配の触下寺院の総数から見れば決して多数とはいえないが、乗念寺等の訴えは容れられた模様である。後掲するように、新たに「西末寺看坊《にしまつじかんぼう》」の配下に支配替えとなった（【図7】、乗念寺弁道の後住願の伺書）。

西末寺とは、現在の西本願寺金沢別院（金沢市笠市町）のことで、「本願寺表末寺《おもてまつじ》」・「金沢御坊」等と呼ばれた。その看坊は、西末寺の経営を担った金沢城下の照円寺《しょうえんじ》・西勝寺《さいしょうじ》・上宮寺《じょうぐうじ》等五カ寺を指し、とくに照円寺は加賀三郡（河北・石川・能美）の真宗西方触頭として三〇カ寺の触下寺院を配下に持っていた（金沢市教育委員会：一九九八）。藩が乗念寺等を西末寺の配下としたのは、あるいは、能登最大の一家衆寺院光徳寺に配慮したものかもしれない。

6、乗念寺弁道の生涯

長らく光徳寺門徒・光徳寺触下に甘んじてきた乗念寺であったが、本末関係の解消と触下からの離脱という、悲願を達成したのは弁道《べんどう》という住職である。

弁道は、寛政三年（一七九一）、二五歳で恵住《えじゅう》の後を襲《おそ》った少壮の住職で、小竹《おだけ》村（中能登町小竹）の瑶泉寺《ようせんじ》から養嗣子《ようしし》として迎えられた。翌四年、本願寺は弁道の自剃刀《じていとう》・一代飛檐列座《いちだいひえんれつざ》等を許し、

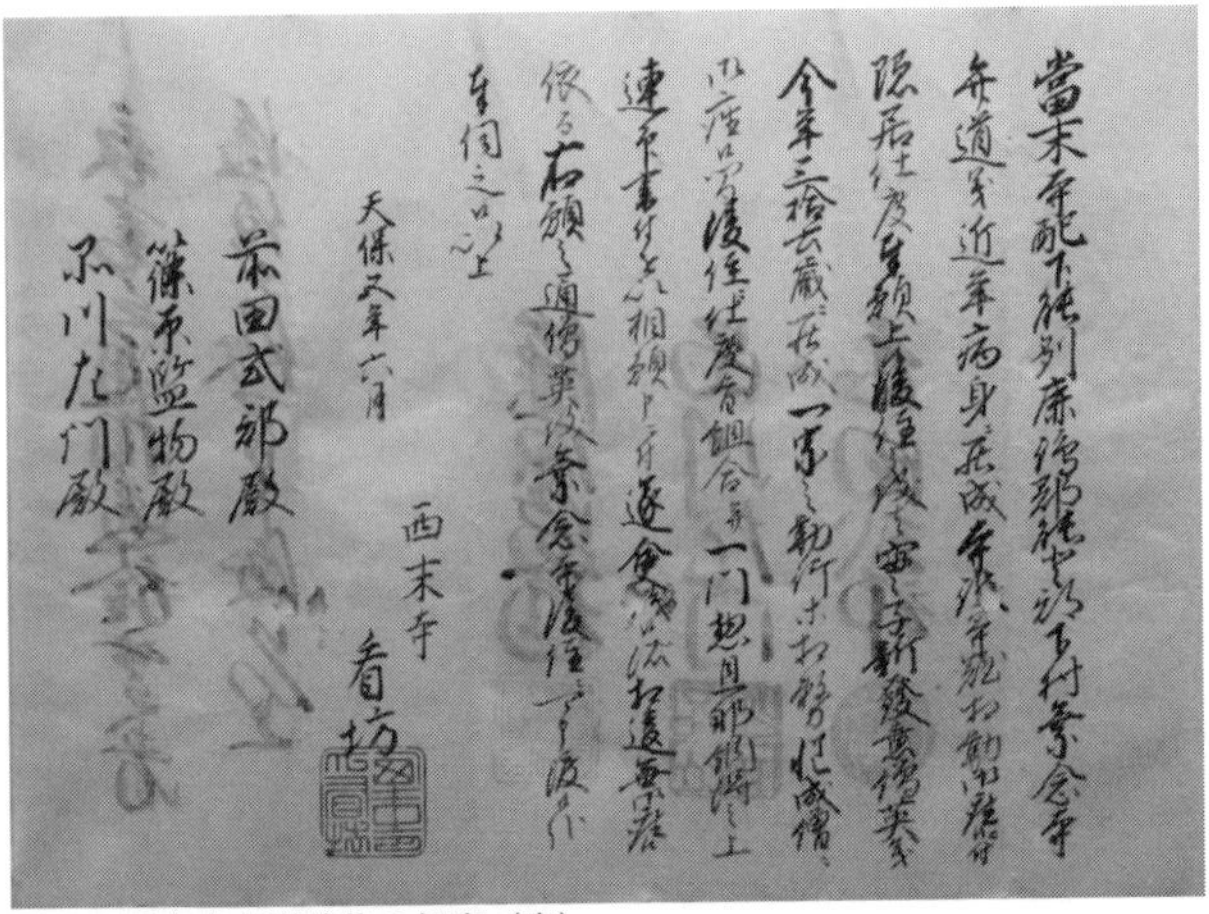

図７　乗念寺弁道後住の伺書（表）

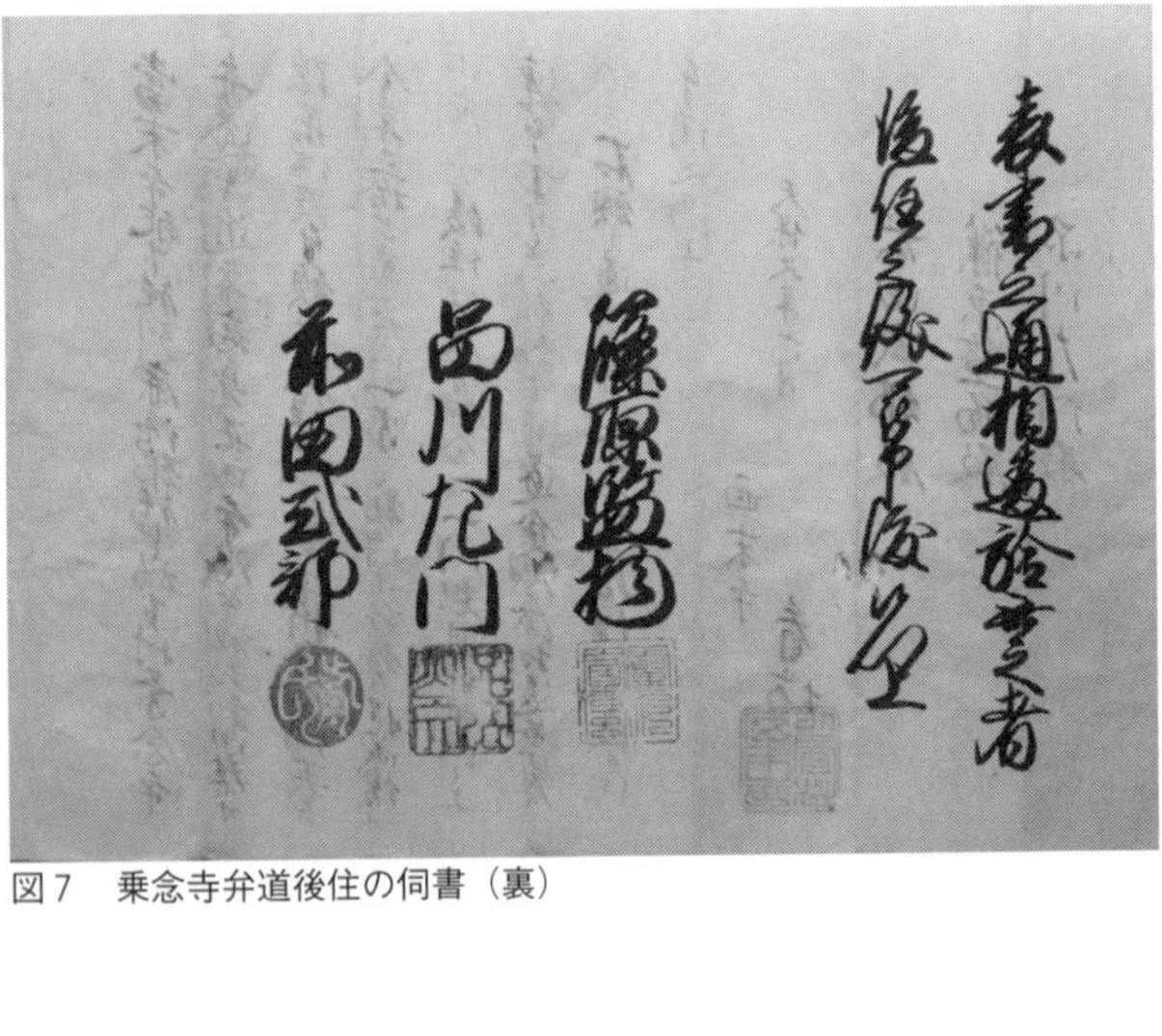

図７　乗念寺弁道後住の伺書（裏）

正式に乗念寺住職を嗣《つ》いだ。

　その後、文政三年（一八二〇）、永代余間《よま》列座・一代内陣《ないじん》列座を許されるなど寺格・身分格の昇進に尽力し、天保二年（一八三一）、末寺としては最高の寺格である院家《いんげ》列座を本願寺から許されるに至った。

　こうした昇進運動に粉骨砕身尽力した結果、精魂使い果たしたのであろうか、弁道は翌同三年頃より病を得てしまい、同五年、新たに触頭となった西末寺を通じて、加賀藩に住職隠居を願い出たのであった。

　この願い出は寺社奉行に聞き届けられ、乗念寺は弁道の実子僧英《そうえい》が嗣いだが、その八カ月後、同六年二月十四日、弁道は死亡する。養嗣子として継職した乗念寺の発展に尽くした半生であったと評することができるだろう。

参考文献
・若林喜三郎『加賀藩農政史の研究 上巻』（吉川弘文館、一九七〇年）
・井上鋭夫校訂『加越能寺社由来 上巻』（石川県図書館協会、一九七四年）
・千葉乗隆編『本願寺史料集成 木仏之留 御影様之留』（同朋舎、一九八〇年）

・笹田勇編『木越山光徳寺七百年史』（光徳寺寺務所、一九九四年）
・金沢市教育委員会文化財課編『加賀藩寺社触頭文書調査報告書（その三）』（金沢市教育委員会、一九九八年）
・石川県中能登町教育委員会編『中能登町能登部下 乗念寺文書目録』（石川県中能登町教育委員会、二〇一八年）

〔付記〕本稿冒頭に出てくる加能地域史研究会の活動については、拙稿「加能地域史研究会の来し方と行く末」（加能地域史研究会・群馬歴史民俗研究会編『地域・交流・暮らし―加賀・能登、そして上州―』岩田書院、二〇一八年）を参照されたい。

14

史料の文言からみえてくること

鎌倉大筒稽古場内の新田試作問題

――「御鉄炮御場所」から読み解く――

桑原功一

対象地域
神奈川

1、はじめに

JR東海道線茅ヶ崎《ちがさき》駅南口を出て南東方面へ二〇分ほど歩く。神奈川県茅ヶ崎市東海岸北五丁目の地に「佐々木氏追悼紀念碑」が建っている。佐々木《ささき》氏は、幕府大筒役《おおづつやく》を代々務め、幕府最大の鎌倉大筒稽古場《かまくらおおづつけいこば》（【写真1】、現・神奈川県藤沢市、茅ヶ崎市域の湘南《しょうなん》海岸等に設定）の管理を担っていた。碑は五代大筒役佐々木卯之助《ささきうのすけ》の追悼紀念碑である（【写真2】）。卯之助は、父の代から引き続き、幕府当局に無申告で地元に新田試作（開発）を許可しつづけた。それが発覚したため、天保六年（一八三五）、卯之助、父・孟英《たけてる》は青ヶ島《あおがしま》（現・東京都青ヶ島村）へ遠島《えんとう》、関係者も多数処罰される事件が起きた。

　この碑は、茅ヶ崎村村長伊藤里之助《いとうさとのすけ》が発起者となり、明治三十一年（一八九八）六月に建立された。かたわらに、この碑が、昭和五十六年（一九八一）に東海岸会館から現在地に移設された際、

写真１　鎌倉大筒稽古場跡（現・湘南海岸。柳島海岸より江の島方面を望む。2020 年、筆者撮影）

地元の東海岸自治会・佐々木卯之助紀念碑移設委員会により建てられた「いわれ」碑もある。そこには卯之助事件のことが記される。そのなかで、この地域は「田畑が少く農民はこの地の耕作を願っていた。それを察した佐々木氏は上司に内密で耕作を許可し、農民はこの情ある計らいに心から感謝をしていた」とある。今も追悼紀念碑に手向《たむ》けられている花とともに、地元の人々の卯之助への思いが感じられる。

そのように地元で、卯之助を恩人とする見方が伝えられている理由は、結果として処罰されることだったにもかかわらず、佐々木氏が長期間、新田試作を地元耕作者に許可しつづけてくれたという行為にあるのだろう。

本章では、今も語り継がれている地元の卯之助への思いの原点である佐々木氏許可にもとづ

写真２　佐々木氏追悼紀念碑（2020 年、筆者撮影）

く鎌倉大筒稽古場内の新田試作について改めて考えてみたい。そして、幕府当局や支配代官の介入をうけずに、なぜ地元耕作者たちが新田試作を長期間続けることが可能であったのか。大筒役佐々木氏の幕府内での位置や同稽古場の性格・機能、また佐々木氏と同稽古場との関わりなどを通して、改めて検討してみたい。

なお、同稽古場の呼称は、史料上、さまざまに呼称されるが、本章では基本的に鎌倉大筒稽古場と称したい。

2、新田試作許可文書を読む

鎌倉大筒稽古場内での新田試作（開発）は、佐々木卯之助の父の四代大筒役孟英（伝次郎《でんじろう》、伝左《でんざ》衛門《えもん》）がはじめた。孟英は、寛政十年（一七九八）以来、「鉄砲《てっぽう》場《ば》見《み》廻役《まわりやく》」へ証書を渡して、「権左衛門」へ一〇か年の新田試作を請け負わせ、同人から株金一〇両を受け取った。その後、小作人が増加し、辻堂《つじどう》村（現・藤沢市）他三か村地先を開発させた。文化五年（一八〇八）から少しの収納があり、小作人から金子を取り立てた（『天保雑記（一）』、阿部：一九八〇、『茅ヶ崎市史』４）。現場では、同稽古場を管理する大筒役佐々木氏のもとで地元宿村《しゅくむら》から選任された「鉄砲場見廻役」が中心となり新田試作を取り仕切っていた。手続き的には「佐々木氏個人と鉄砲場見廻役人および耕作者との私的契約」にもとづいて実施されたと指摘されている（『茅ヶ崎市史』４）。

　卯之助が大筒役に就任してからも、その経営方法が継承された。それが成り立ったことについては、大筒役孟英が同稽古場内の「最高管理責任者」でその地位を利用したため（『茅ヶ崎市史』４）、また「大筒役佐々木卯之助とその管理性に問題」（道上・阿部：一九七四）があったためと指摘されている。そのように孟英、卯之助父子の個人的資質の問題として捉える見方が強い。たしかにそういう面もある。しかし、地元村々が幕府当局や支配代官の介入を長期間、受けることなく新田試作を続けられたのは、佐々木氏の個人的な問題を越え、同稽古場をとりまく体制的な問題もみる必要がないだろうか。

　佐々木氏が関わった新田試作手続きについて、これまでの研究（道上・阿部：一九七四、『茅ヶ崎市史』４）もふまえ改めて史料をみておきたい。

　まず、大筒役佐々木氏の許可を示した新田試作許可証として最も古いとされる次の文書を改めてみてみたい。

〔史料1〕（石井茂家文書№1、藤沢市文書館所蔵）

一札之事

此度**御鉄炮《おてっぽう》御場所《おばしょ》**内御新田開発之儀
佐々木伝次郎《でんじろう》様より**御場所《おばしょ》見廻役《みまわりやく》**六人江
被仰附《おおせつけられ》、此方より其許方《そこもとかた》江、来未ノ壱ヶ年
仕附方《しつけかた》試之儀、可致旨《いたすべきむね》、申渡為念書付
相渡置候、仍如件《よってくだんのごとし》

文化七午年
七月

御鉄炮御場所
見廻役惣代
宮﨑　長四郎（印）
桜井六右衛門（印）

辻堂村
茂兵衛殿

〔史料1〕によれば、文化七年（一八一〇）段階では、鎌倉大筒稽古場内の新田試作にあたって、大筒役「佐々木伝次郎」（＝孟英）が、「御鉄炮御場所見廻役」六人に「御鉄炮御場所」内の新田開発を命じている。それを受け、「御鉄炮御場所見廻役惣代」の宮崎長四郎、桜井六右衛門が辻堂村茂兵衛に宛て、上記のことを記した〔史料1〕の許可証を発行し、翌文化八年の新田試作の許可を与えている。

次に、佐々木卯之助が大筒役となっていた時期の新田試作許可に関わる文書もみておきたい。

〔史料2〕（石井茂家文書No.13、藤沢市文書館所蔵）

覚　　辻堂村

五兵衛

一　金弐両

右者、当酉年**御場所**《おばしょ》内新田開発試作

御頭様《おかしらさま》江願　入用請取申所如件《にゅうよううけとりもうすところくだんのごとし》　見廻役（印）

文政八年

酉七月

〔史料2〕は、「御頭様」＝佐々木卯之助への新田試作願いにかかる費用二両を、見廻役が辻堂村の耕作者から受けとった領収証である。〔史料1〕〔史料2〕の史料から、新田試作手続きは、①

見廻役が佐々木氏に新田試作を願う、②佐々木氏から許可されると見廻役より耕作者に伝達される、③見廻役は耕作者から願いにかかった費用を徴収し、領収証を発行するという形で行っている。天保三年（一八三二）まで同様の文書が確認される。そうした手続きを毎年更新して行い、天保三年に幕府当局に発覚するまで新田試作が続けられていった。鎌倉大筒稽古場（＝「御鉄炮御場所」）内の新田試作は、大筒役佐々木氏—「御鉄炮御場所」見廻役—地元村耕作者の間で行われている。耕作者の村々を支配する代官の関与はみられないことを改めて確認しておきたい。

3、「御鉄炮御場所」「御場所」の史料文言に注目

〔史料1〕〔史料2〕で注目したいのが、地元宿村から選任された見廻役が鎌倉大筒稽古場のことを「御鉄炮御場所」また「御場所」と表現している点である。冒頭でも述べたように同稽古場の呼称に関しては、史料上、さまざまである。大筒稽古を同所で実施する際の幕府の達《たっし》、御鉄炮方などの稽古者側の関係文書では単に「鎌倉」、または「相州《そうしゅう》鎌倉大筒御稽古場」などと示されることが多い（『通航一覧』第二）。同稽古場に関係する村々を支配する代官が発する文書では、例えば「相州鎌倉御鉄炮場」（文化十二年、「堀内家御用向手控《ごようむきてびかえ》」）、「相州鎌倉御鉄炮町打場」（天明五年）、「鎌倉大筒町打場」（文政七年）「相州鎌倉御鉄炮場」（天保四年）と呼称されている（『茅ヶ崎市史』1資料編（上）所収、一二三三、一四一、一四三号史料）。

そのように幕府の達、稽古者、代官の文書では「鎌倉」という地名を使って大筒・御鉄炮の稽古場であることを示す呼称を使う傾向にある。

一方、同稽古場の管理を現場で担う見廻役が発する文書ではどうであろうか。例えば、文政十二年（一八二九）、同稽古場内で茅ヶ崎村南湖の農民が無許可で土手築立をした件について、見廻役が大筒役「佐々木卯之助御役所」に届け出た文書では、自らを「御鉄炮御場所見廻役」と記す（『茅ヶ崎市史』1、一四二号史料）。〔史料1〕〔史料2〕でも見廻役は同稽古場のことを「御鉄炮御場所」「御場所」と呼称する。自らの肩書にもそれを冠している。文化七年（一八一〇）から天保三年（一八三二）までの〔史料1〕とおおむね同内容の新田試作許可証二三通から、同稽古場を見廻役がどのように呼称しているか整理したものが【表1】である。孟英から卯之助に大筒役を交代する頃から、許可証の本文中や差出者である見廻役の肩書で「御鉄炮場」を使うことも多くなるが、いずれの許可証でも必ず「御場所」文言の使用を確認できる。

幕府側文書でみる同稽古場呼称の使用傾向と異なり、地元宿村から選任される見廻役は「御鉄炮御場所」「御場所」を文書で使用することが多いことが注意される。

これまで「御場所」（「御場」）という概念については、江戸周辺の御鷹場《おたかば》や大筒稽古場研究で注目されてきた。「御場所」とは、「将軍・徳川家の場所・領域」（大石：一九九五）といわれている。「御場所」を領域や空間把握概念と捉える点に関しては、それがいつからなのか、その把握の在り

表１　鎌倉大筒稽古場内新田試作許可証にみる鎌倉大筒稽古場の呼称等（文化７年～天保３年）

整理番号	年月	本文中の新田試作許可者（大筒役）	本文中の鎌倉大筒稽古場の呼称	本文中の見廻役の呼称	差出名	宛名
1	文化７年7月	佐々木傳次郎（孟英）	御鉄炮御場所	御場所見廻役	御鉄炮御場所見廻役惣代 宮﨑長四郎　桜井六右衛門	辻堂村茂兵衛
2	文化11年7月	佐々木傳次郎（孟英）	御鉄炮御場所	御場所見廻り役	見廻り役 長四郎　六右衛門	辻堂村茂兵衛
3	文化12年5月	佐々木傳次郎（孟英）	御鉄炮御場所	見廻り	平野彦四郎　桜井要蔵	辻堂村茂兵衛
4	文化12年6月	佐々木傳次郎（孟英）	御鉄炮御場所	御場所見廻り役	桜井要蔵　宮﨑長四郎 平野彦四郎	辻堂村茂兵衛
5	文政３年7月	佐々木傳左衛門（孟英）	御鉄炮御場所	御場所見廻り役	平野彦四郎　堀内対介	辻堂村五兵衛
6	文政３年7月	佐々木傳左衛門（孟英）	御鉄炮御場所	御場所見廻役	堀内対介　桜井用蔵	辻堂村茂兵衛
7	文政７年7月	佐々木傳左衛門（孟英）	御鉄炮場	御場所見廻役	御鉄炮場見廻役 堀内対助　桜井要蔵	茂兵衛
8	文政７年7月	佐々木傳左衛門（孟英）	御鉄炮場	御場所見廻役	御鉄炮場見廻役　桜井六右衛門　平野彦四郎	五兵衛
9	文政８年7月	佐々木卯之助	御鉄炮場	御場所見廻役	御鉄炮場見廻役　平野彦四郎　桜井要蔵	辻堂村五兵衛
10	文政８年7月	佐々木卯之助	御鉄炮場	御場所見廻役	御鉄炮場見廻役 桜井要蔵　金井弥市	浅右衛門 清九郎
11	文政９年6月	佐々木卯之助	御鉄炮場	御場所見廻役	御鉄炮場見廻役 宮﨑長四郎　金井弥市	辻堂村茂兵衛
12	文政10年6月	佐々木卯之助	御鉄炮場	御場所見廻役	宮﨑長四郎　堀内対助	辻堂村五兵衛
13	文政10年6月	佐々木卯之助	御鉄炮御場	御場所見廻役	宮﨑長四郎　金井弥市	茂兵衛
14	文政11年6月	佐々木卯之助	御鉄砲場	御場所見廻役	御場所見廻役 桜井要蔵　金井弥市	五兵衛
15	文政11年6月	佐々木卯之助	御鉄砲場	御場所見廻役	御鉄炮場見廻役 宮﨑長四郎　堀内対助	辻堂村 茂兵衛　傳助
16	文政13年6月	佐々木卯之助	御鉄砲場	御場所見廻役	宮﨑長四郎　平野彦四郎	茂兵衛　傳助
17	文政13年6月	佐々木卯之助	御鉄砲場	御場所見廻役	宮﨑長四郎　桜井要蔵	五兵衛
18	天保２年6月	佐々木卯之助	御鉄砲場	御場所見廻役	宮﨑長四郎　平野彦四郎	辻堂村五兵衛
19	天保２年6月	佐々木卯之助	御鉄砲場	御場所見廻役	御鉄炮場見廻役 宮﨑長四郎　桜井要蔵	辻堂村浅右衛門 清九郎　喜右衛門
20	天保２年6月	佐々木卯之助	御鉄砲場	御場所見廻役	御鉄炮場見廻役 宮﨑長四郎　平野彦四郎	辻堂村 茂兵衛　傳助
21	天保３年6月	佐々木卯之助	御鉄炮御場所	御場所見廻役	御鉄炮御場所見廻役 平野彦四郎　金井弥一郎	辻堂　五兵衛
22	天保３年6月	佐々木卯之助	御鉄炮御場所	此方共	御鉄炮場見廻役 宮﨑長四郎　桜井要蔵	辻堂　浅右衛門 茂右衛門
23	天保３年6月	佐々木卯之助	御鉄炮場	御場所見廻役	御鉄炮場見廻役 宮﨑長四郎　堀内敬二郎	辻堂村浅右衛門 清九郎　喜右衛門

（出典）「石井茂家文書№1、3、4、5、6、7、8、9、12、14、15、16、17、18、19、21、22、23、24、25、26、27、28」（藤沢市文書館所蔵）より作成。

方などについてさまざまな議論があり、ここではふみいらない（桑原：一九九九、二〇一二）。ただ江戸周辺地域で将軍が実際に御鷹狩りに行く場所については史料上「御場所」と称することが多く、「御場所」とは狭義には将軍の「御成御場所」を意味している。それでは、将軍が御成《おなり》したことがない同稽古場を見廻役が「御鉄炮御場所」「御場所」と呼称することが多いのはなぜであろうか。

4、鎌倉大筒稽古場の機能・性格から「御鉄炮御場所」呼称を考える

嘉永三年（一八五〇）三月、鎌倉大筒稽古場の見廻役を出す地元「宿村役人」から江川太郎左衛門《えがわたろうざえもん》御役所に宛てられた、見廻役選任に関する願書がある。その冒頭には「相州於鎌倉来戌早春《らいいぬそうしゅん》、御秘事《ひじ》御様打《おためしうち》引続、御鉄炮御稽古打被仰出《うちおおせだされ》、就而者《ついては》、右御場所見廻り役之義」とある（石井茂家文書No.44　藤沢市文書館所蔵）。そこでは「御秘事」大筒試打「引続」の場であることが強調され、見廻役を「御場所見廻役」と記す。そこにある「御秘事」と「御場所」の関わりを通して、同稽古場の機能・性格を考えたい。

江戸時代前期、江戸近郊で、幕府御鉄炮方《おてっぽうかた》などにより大筒の町打《ちょううち》（一町以上の長距離射撃）稽古が行われていたが、稽古場は時期により変化した（『通航一覧』第一、伊藤：一九七四、桑原：二〇一二）。享保期に入ると江戸周辺で大筒稽古場の固定化が進む。享保十三年（一七二八）に鎌倉大筒稽古場が設定されたのを機に事実上、同稽古場に江戸近郊の「志村西之台《しむらにしのだい》」（後の「徳丸原《とくまるがはら》」）。現・東京都板

橋区）、船橋《ふなばし》（現・千葉県船橋市）の大筒稽古場機能が移転・集中されていった。鎌倉大筒稽古場は諸組与力《しょくみよりき》たちの大筒稽古場としても利用されるが、将軍の「御秘事」大筒稽古場としての基本的機能・性格をもち、幕末まで維持される（桑原：二〇一二）（なお、寛政四年〈一七九二〉に諸組与力による二〇〇目玉以下の大筒稽古機能は同稽古場より徳丸原大筒稽古場に移転する〈桑原、一九九七〉）。

鎌倉大筒稽古場は、佐々木氏が御預りする、または製造開発する将軍「御秘事」大筒の試打、稽古を実施する場でもあった。「御秘事」大筒稽古の実施は、将軍→御小納戸《おこなんど》（頭取《とうどり》）→大筒役という指揮系統で実施される（桑原：二〇一〇、二〇一二）。実際に将軍が御成し「御秘事」大筒稽古が実施されたわけではない。しかし、同稽古場は御小納戸（頭取）が将軍の意向をうけて、「御秘事」大筒稽古を見分する将軍の「御場所」である。将軍「御秘事」大筒稽古場としての基本的な機能・性格をもつ場の管理を担うことから、見廻役は文書で「御鉄炮御場所」「御場所」と称することが多かったと考えられる。

5、「御鉄炮御場所」管理体制における大筒役佐々木氏

鎌倉大筒稽古場の設定区域は当初、移転もあったが、現在の神奈川県藤沢市、茅ケ崎市域の湘南海岸等（鎌倉郡片瀬《かたせ》村駒立山《こまたてやま》〈現・神奈川県藤沢市片瀬〉には、御鉄炮下ケ矢場《おてっぽうさげやば》が設定）におおむね固定化され幕末に至る（『新編相模国風土記稿』第三巻・第五巻）。

同稽古場の区域が固定化するなかで、その運用、利用制度も整備されていく。そして大筒稽古場としての機能・維持に関わることに関しては、明和期（一七六四～一七七二）までには、大筒役佐々木氏が管理にあたるようになっている（『茅ヶ崎市史』1資料編（上）所収、一四〇号史料）。大筒稽古実施の際に標的までの見通しに支障がでないように、稽古場内の土地・環境の管理を行った。地元にあって稽古場管理を行うため、天明五年（一七八五）二月に設置されたのが見廻役である。当初稽古場周辺の藤沢《ふじさわ》宿・鵠沼《くげぬま》村・鵠沼村新田（以上、現・藤沢市）・茅ヶ崎村南湖《なんこ》（現・茅ヶ崎市）から六名の見廻役が選任された。勘定奉行《かんじょうぶぎょう》の配下に属させ、地元にあっては代官の支配、指揮を受け、稽古実施時の稽古場の諸施設設営に集められた人足の差配などの諸雑務を行った。大筒役佐々木氏からも、稽古当日の諸雑務とともに、日常的な稽古場区域の管理について指揮を受けた。見廻役は、大筒役佐々木氏と代官から二重支配を受けていた（『茅ヶ崎市史』4）。しかし、先述のように、大筒役佐々木氏許可による同稽古場内の新田試作（開発）には、代官は関与していなかった。

幕府当局に同稽古場内の新田試作が発覚するのは、江川太郎左衛門代官が、天保三年（一八三二）、幕府の方針のもと「国高改《くにだかあらため》」を実施しようとしたのがきっかけである。このとき、江川代官は試作の場所を書き上げるべきか、村々から相談をうけた。江川代官が勘定所に出した報告書には、それに対して「私御代官所相州高座《こうざ》郡鵠沼村・辻堂村・小和田《おわだ》村・菱沼《ひしぬま》村・茅ヶ崎村地先海辺通は大筒役佐々木卯之助進退罷在《まかりあり》候（中略）御鉄炮場内之儀ニは候得共《そうらえども》私方ニて反別等取調申上候様取計可申哉《もうすべきや》之段《のだん》」を大筒役佐々木卯之助に問い合わせたとある（『茅ヶ崎市史』1 資料編（上）所収、一四三号史料）。江川代官側は、この区域は鎌倉大筒稽古場であり、その場内のことに関しては、大筒役卯之助の権限が優先されるという認識をもっている。ただ卯之助が許せば、江川代官は試作田の反別調査を行おうともしていた。それに対して卯之助は、自身「其筋《そのすじ》え申立候旨」を伝えてきたという。卯之助は、あくまで代官の権限が及ぶ地方支配の問題とせず、代官の関与ができない、勘定所―代官とは別系統の「其筋」との間でこの件を処理しようとしたのである。大筒役卯之助がいう「其筋」とは何であろうか。

初代大筒役佐々木孟成《たけなり》は紀州藩士の佐々木成季《なりとし》次男で、紀州藩主徳川吉宗《とくがわよしむね》が将軍に就任するのに伴い、吉宗の「思召《おぼしめし》」により幕府御鉄炮方与力となった。孟成は当初から将軍「御秘事」銃炮を直接管理する役割を担っていた。孟成は、将軍吉宗の意向を受け、御小納戸のもとで「車仕懸《くるまじかけ》百目之御筒《ひゃくめのおつつ》」開発製造を担い、設定まもない同稽古場において試打を行い、成功させた。元文三年（一七三八）十月十八日、幕府が大筒役を創設すると孟成が就任し、石火矢《いしびや》・棒火矢《ぼうひや》・狼煙《のろし》など「火術《かじゅつ》」開発・製造・試打などを職掌とした（桑原：二〇一〇）。佐々木氏は大筒役として将軍との直接的な結びつきが強く、将軍家治《いえはる》の代にも、家治の御秘事大筒の管理を行う（『天保雑記（一）』）など、代々の将軍の「御秘事」大筒管理も担った。

大筒役は幕府職制上、留守居《るすい》支配である。しかし将軍の「御秘事」大筒試打・稽古実施の際には、先述のように将軍―御小納戸（頭取）―大筒役―「御鉄炮御場所見廻役」という指揮系統となる。将軍の「御秘事」大筒稽古場の意味を持つ「御鉄炮御場所」「御場所」の管理も、その稽古実施の際と同様の指揮系統が大きな影響をもったと考えられる。そうした指揮系統をふまえると、先の卯之助が報告しようとしていた「其筋」とは、将軍側近の御小納戸（頭取）筋とみられる。その筋の指揮系統だと新田試作（開発）も将軍の「御場所」の管理問題となり、勘定所―代官の指揮系統の直接的関与を及ぼすことを制限できる。

6、おわりに

「御鉄炮御場所」「御場所」という史料文言に注目して、鎌倉大筒稽古場内の新田試作問題を読み解いてみると、従来いわれてきた佐々木氏個人の問題、また佐々木氏と見廻役と地元村々の間の問題だけに留まらないことがみえてくる。

同稽古場を「御鉄炮御場所」としてみると、大筒役佐々木氏を通して、見廻役や地元村々は、将軍とも直接的に結びつく構造がみえてくる。そうした構造的な問題から、代官も直接的関与ができず、大筒役佐々木氏と地元の協約のもとで新田試作が長期間継続できたと考えられる。

地元は、大筒役佐々木氏から毎年、新田試作許可を得ることで、事実としては、「其筋」の先にある将軍までをも含めた「御鉄炮御場所」管理体制を捉えかえして、三四年間にわたって新田試作（開発）を進展させることができたとみることができる。

参考文献

・『通航一覧』第一（国書刊行会、一九一二年）
・『天保雑記（一）内閣文庫所蔵史籍叢刊』第三二巻（汲古書院、一九八三年）
・『茅ヶ崎市史1　資料編（上）古代・中世・近世』（茅ヶ崎市、一九七八年）
・『茅ヶ崎市史4　通史編』（茅ヶ崎市、一九八一年）
・『茅ヶ崎市史5　概説編』（茅ヶ崎市、一九八二年）
・「堀内家御用向手控」『藤沢市史料集（十二）』（藤沢市文書館、一九八七年）
・『新編相模国風土記稿』第三巻及び第五巻（雄山閣、一九九八年）
・伊藤好一「江戸と周辺農村」（西山松之助編『江戸町人の研究』第三巻、吉川弘文館、一九七四年）
・道上定・阿部征寛共編「鉄砲場をめぐるいくつかの事件（一）」（『藤沢市史研究』第五号、一九七四年）
・阿部征寛「江戸幕府鉄砲場切り開き一件史料─佐々木卯之助判決文によせて─」（『茅ヶ崎市史研究』4、一九八〇年）
・大石学『吉宗と享保の改革』（東京堂出版、一九九五年）
・桑原功一「寛政期における江戸周辺大筒稽古場運営制度の展開─徳丸原大筒稽古場を中心として─」（関

東近世史研究会編『近世の地域編成と国家』（岩田書院、一九九七年）
・桑原功一「江戸周辺における「御場所」と地域編成―武蔵国葛飾郡隅田村御前栽場を中心に―」（『足立区立郷土博物館紀要』第二四号、二〇〇三年）
・桑原功一「享保改革期における幕府大筒役の創設―初代大筒役佐々木勘三郎孟成の動向を中心に―」（『日本歴史』第七四一号、二〇一〇年）
・桑原功一「享保改革期における江戸周辺銃炮稽古体制の確立」（関東近世史研究会編『関東近世史論集3幕政・藩政』、岩田書院、二〇一二年）

15

社会的弱者の歴史をどう掘り起こすか

焼け跡に手を差しのべた人々の記録
——地域に残る戦後社会事業団体資料の価値——

西村　健

対象地域
神奈川

1、はじめに——戦後横浜の戦争孤児保護

昭和二十年（一九四五）五月二十九日の横浜大空襲によって大きな被害を受けた横浜では、敗戦後、日本の占領と軍政の中核を担う米国第八軍の司令部がおかれ、数万の占領軍兵士が駐留する巨大な基地の街となった。敗戦の混乱によって職を失った人々は、占領軍関連の仕事と残飯《ざんぱん》を求めて各地から横浜に集まり、路上生活を強いられていたが、街で浮浪生活を送る人々の中には、戦災で親を失った戦争孤児も多く含まれていた。

昭和二十三年（一九四八）に行われた厚生省の調査では、全国に数え年二〇歳以下の孤児が約一二万三〇〇〇人おり、このうち神奈川県では二四八六人の孤児が存在していたことが記録されている。神奈川県における孤児たちの多くは、当時闇市《やみいち》が存在した野毛《のげ》地域や繁華街の伊勢佐木《いせざき》町《ちょう》で浮浪生活を送っており、県では警察と共同で彼らを保護していたが、恒久的な保護を行う施

設の整備は進まず、すぐに荒《すさ》んだ浮浪生活に戻る児童が続出する事態となっていた。

　このような状況下で大きな役割を果たしたのが、民間の社会事業団体である。戦後間もない昭和二十六年（一九五一）における神奈川県の児童養護施設は二七カ所あったが、公立の三施設以外はすべて民間の運営によるものであり、戦後直後に開設された施設が多いことが特徴である。

　これらの施設は戦争孤児や海外からの引揚者《ひきあげしゃ》の孤児の保護の中核を担っており、その多くが現在でも児童福祉の活動を継続している。このため、戦後横浜の戦争被害者救済をテーマとする展示を企画していた筆者は、市域に現存する施設すべてにコンタクトを取り、歴史資料の有無を問い合わせた。このうち、多数の資料が保存され、筆者が勤務する横浜都市発展記念館に寄贈されるに至った社団法人日本厚生団のボーイズホームという施設の資料について詳述したい。

２、ボーイズホーム資料発見の経緯と施設の沿革

　ボーイズホームは現在横浜には存在せず、その歴史については長らく明らかにされてこなかった。

　日本厚生団は現在一般社団法人日本厚生団として長津田《ながつた》厚生総合病院（横浜市緑区）を運営しているが、同病院はボーイズホーム内に設置された困窮者向けの診療所が前身であるため、同病院に連絡を取ったところ、ボーイズホームが日本厚生団を離れ、社会福祉法人福光会子どもの園

として茅ケ崎《ちがさき》市に移転していることが明らかになり、同園の調査に赴くことになった。同園では、ボーイズホームの歴史を詳しく知る理事長の和田直熙《わだなおき》氏に話を伺うことができ、施設の歴史を詳細に知ることが可能となった。

和田氏の証言と、同園で職員に配布されている内部資料の情報によれば、ボーイズホームの沿革は以下のとおりである。

ボーイズホームを運営した日本厚生団の前身組織である横浜市戦災同盟（以下、同盟）は、戦後直後から戦災者保護に関する多岐にわたる事業を展開していた。同盟では、家のない戦災者の為に桜木町《さくらぎちょう》駅前などに米軍払い下げのテントを張り、保護を行っていたが、この中に多数の児童が存在していたことから、紅葉坂《もみじざか》教会（横浜市西区）の平賀孟《ひらがつとむ》が児童専用のテントを建てて保護することになった。しかし、テントでは彼らを継続的に保護することが困難であるため、孤児たちのための専用施設の建設が目指され、昭和二十一年（一九四六）に県の協力を得て横浜市中区日ノ出町の子神社《ねのじんじゃ》境内に厚生同胞寮と名付けられた施設が誕生する。

翌年五月には、米国における児童福祉の権威であるフラナガン神父が同寮を来訪したことを記念して、神父が米国で開設した児童自立支援施設、ボーイズタウンにちなみ、同寮をボーイズホームと改名する。また、同時期に同盟は社団法人化して日本厚生団となり、平賀の後に二代目園長に就任した竹下福寿《たけしたふくじゅ》の下で本格的な孤児たちの保護が進められることになった（【図1】）。この後、

図１　ボーイズホームに保護された児童たち。昭和25年（1950）奥村泰宏撮影（横浜都市発展記念館蔵）

昭和四十六年（一九七一）に三代目園長の和田直煕氏により、老朽化した施設の再建のため、日本厚生団からボーイズホームを分離独立させ、社会福祉法人化して子どもの園と改名。昭和五十四年（一九七九）に茅ケ崎市に移転したが、現在も横浜市の児童の保護を継続して行っている。

３、ボーイズホーム資料の紹介

和田氏との聞き取り調査から、ボーイズホームの歴史的経緯が明らかになったことだけでも有意義であったが、子どもの園には多くのボーイズホーム関連資料が眠っていることを把握できたことも大きな収穫であった。筆者は同園に数度足を運び、和田氏と共に倉庫で埃《ほこり》をかぶっていた資料の調査

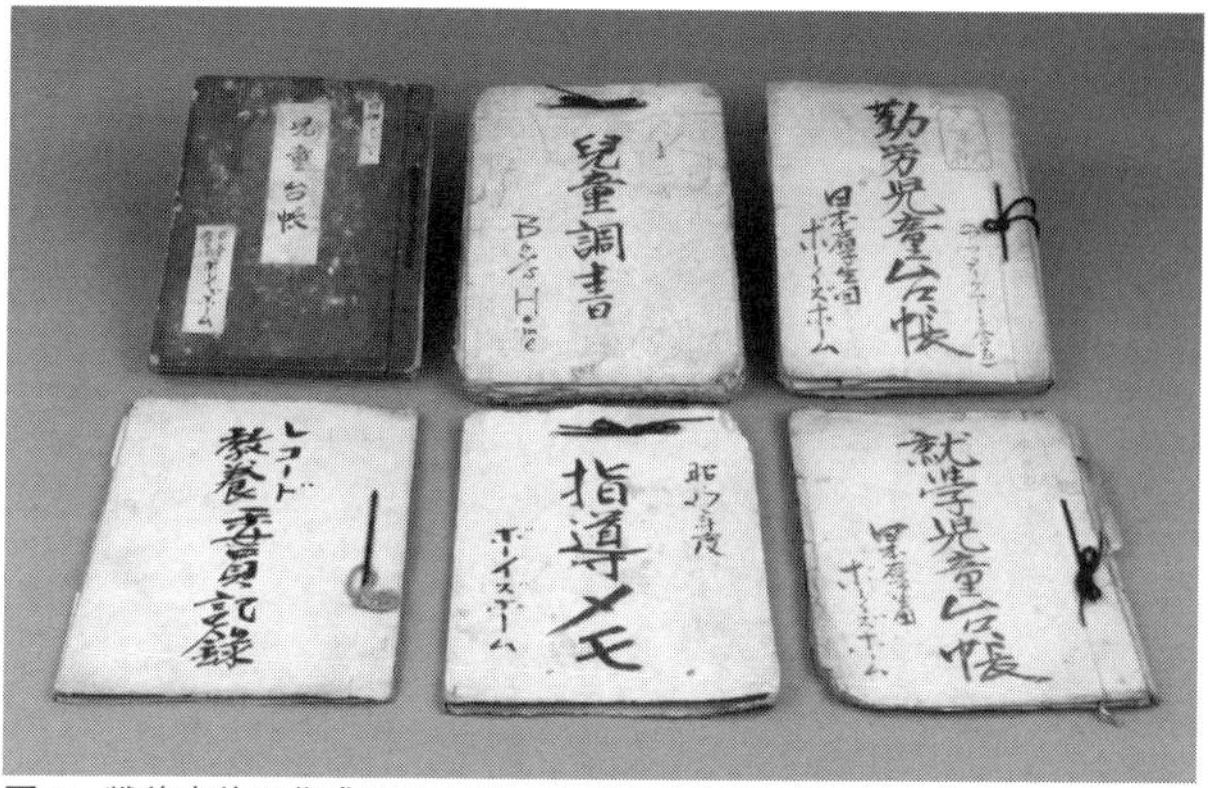

図２　戦後直後に作成されたボーイズホームの資料群の一部。上段中央の資料が「児童調書」（横浜都市発展記念館蔵）

を行った。その結果、敗戦直後の孤児たちの境遇を知る極めて貴重な資料の数々を発見することになる（【図2】）。

　ボーイズホームの資料群のうち、最初に「児童調書」を紹介したい。本資料は、昭和二十二年～二十四年（一九四七～四九）にかけてのボーイズホーム入所児童の情報を、神奈川県の児童相談所が調査した結果を記した調書の綴《つづり》である。神奈川県では、昭和二十一年（一九四六）の厚生次官通牒《つうちょう》「主要地方浮浪児等保護要綱」によって児童保護所と児童相談所が創立され、昭和二十三年（一九四八）の児童福祉法施行により、同法に基づく神奈川県中央児童相談所が発足する。街で浮浪している児童はまずこの相談所に一時保護され、職員による調査が行われたのち、適切な施設へ移送をされた。

　調書には、保護児童の本籍・家庭環境・来歴・知能指数・性格などが記されており、児童たちがいかなる経緯で孤児となり、浮浪生活を送るに至ったのかを詳しく知ることができる。本資料には七二名分の調書が綴《と》じられているが、資料を読み込むと、ほとんどの児童が神奈川県外から来ていることを把握できる。県内の児童は横浜市内五名、平塚市一名であるのに対し、県外から来た児童は東京都が最も多い二二名で、大阪府六名、愛知県四名と続き、その他北海道・福島県・茨城県・栃木県・群馬県・静岡県・京都府・福岡県・鹿児島県・小笠原諸島・フィリピンなど全国の各地から児童が横浜に集まっていたことがわかる。このうち、昭和二十二年（一九四七）十月に保護された名古屋出身の児童（一〇歳児）の来歴について以下の様に記されている。

名古屋で罹災《りさい》し両親を失って浮浪生活に入った。爾後《いご》今日迄　名古屋―東京―北海道―東京―門司―博多―下関―神戸―京都―東京と殆《ほとん》ど全国を股に掛けて流浪の旅をつづけ最近は東京と沼津の間を往復していたが、偶々《たまたま》東京駅で動き始めた汽車から飛降りて頭部に負傷、未知の人の世話で平塚の済生会病院に入院したが、八月二十一日第二保護所に引継がれ、即日、追浜《おっぱま》の国際病院に入院。十月十四日治癒。退院後第二に収容。

大塚の都中央相談所、三宅坂の麹町《こうじまち》保護所、板橋養育院、その他大阪名古屋の施設等、これまで屢々《るる》施設に送られているが、いつも長くて数日にして飛びだしている。（後略）

この記述からは、名古屋の空襲で両親を失ったのち、北は北海道、南は九州まで全国を渡り浮浪生活を続けていた児童の境遇がうかがえる。当時、孤児となった児童の多くは無賃乗車を繰り返し、東海道線などで長距離を移動していたことは、同相談所の所誌や所員の回想録などにも記されており、孤児たちが安住の地を得られず、各地を放浪せざるを得なかった実態がわかる。また、この保護児童が各地の保護施設から脱走している様子も同資料から読み取れるが、この児童以外にも多くの保護児童が脱走経験を持っていることが記されており、その対応に苦心している様子がうかがえる。

児童が孤児となる理由は、空襲によって家族が亡くなるが、自身は学童疎開をしていたために生き残ったケースが多くみられる。その後、親戚などに預けられるケースもあるが、折り合いがつかず家を飛出し、浮浪生活に入る事例も散見される。児童たちが横浜を目指した動機としては、占領軍の個人的なボーイである「ハウスボーイ」となる機会があることが、彼らのネットワークで広がっていたことが本資料から読み取れる。当時、日本人よりはるかに良い暮らしをしていた占領軍兵士の庇護を求めて、児童たちは巨大基地の街である横浜を目指したのである。

神奈川県中央児童相談所の資料のほかに、ボーイズホームで保護された児童の境遇について知ることのできる資料が、ボーイズホームで発行されていた冊子「ひまわり」である（【図3】）。

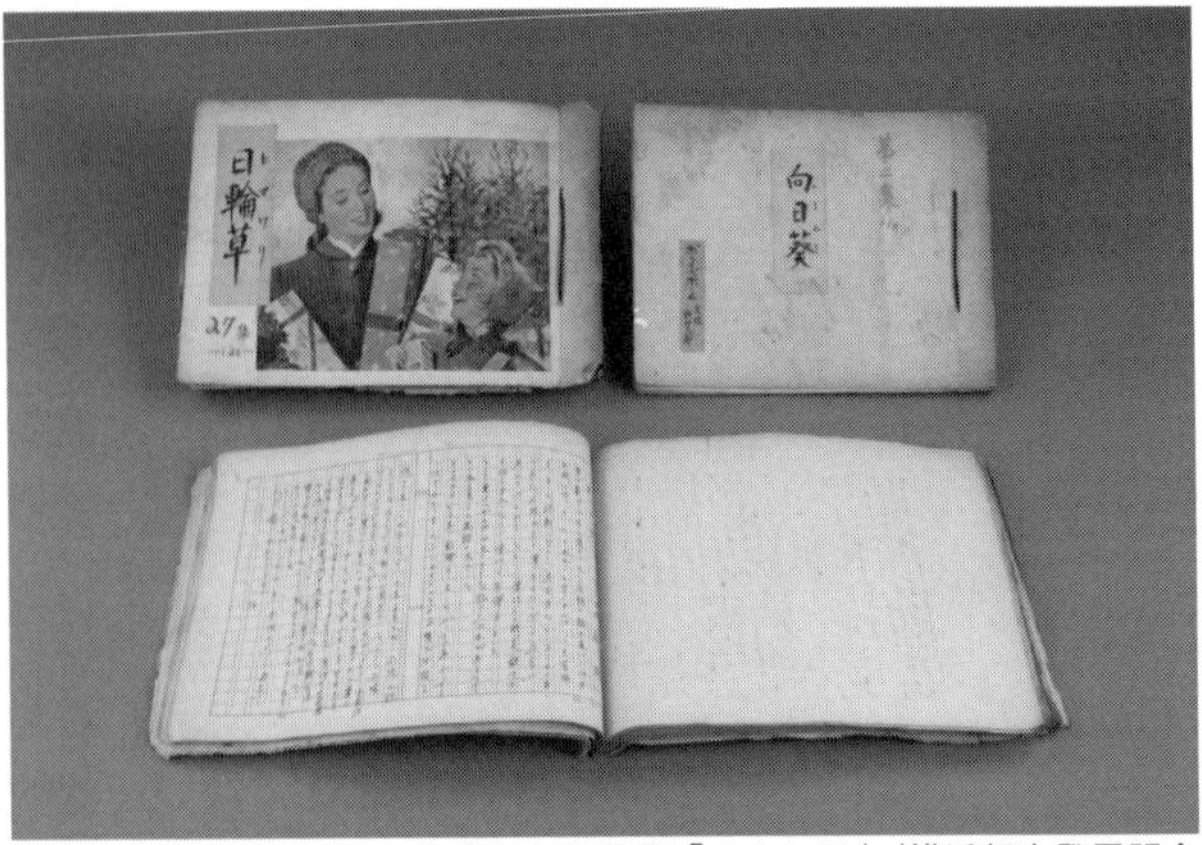

図３　ボーイズホームで作成された冊子「ひまわり」（横浜都市発展記念館蔵）

ボーイズホームの二代目園長、竹下福寿は戦時中、急降下爆撃の専門家として著名であった陸軍航空士官であり、社会事業の世界ではあまり例を見ない異色の経歴を持つ人物であった。戦局が悪化しつつあったころ、竹下自身は反対であったにもかかわらず、特攻隊の結成に関わり、多くの若者を死なせたことから、戦後は孤児たちの保護と教育に命を懸け、街で浮浪する孤児たちの中でも特に手がかかる児童を率先して手掛けたという。

当時の児童養護施設は、繁華街から離れた場所に建てられることが多かったが、ボーイズホームは横浜最大の闇市がある野毛にすぐ近い場所にあり、ともすれば保護児童は施設を脱走してすさんだ生活に戻りがちであった。このため竹下は、ボーイズホーム内に児童が放課後に文化活動やスポーツを楽しむことができる様々な部活動を設置し、その活動成果を月に一度「ひまわり」と名付けられた冊子にまとめさせていた。「ひまわり」には児童たちの描いた絵画や、気候に関する調査記録などが収録されている。なかでも興味深いのが、児童たちがボーイズホームに来るまでの境遇を記した作文が多く含まれていることである。先に紹介した児童相談所の調書は、児童の証言を職員が記したものであるため、要点が簡潔に記されており、児童の心の機微をつかむことは困難である。また、相談所の調査員に対し嘘《うそ》をつく児童も多く存在したことが同所の記録から明らかになっている。これに対し、「ひまわり」は施設の仲間内のみで読まれる冊子であるため、嘘をつく必要がなく、児童たちの心情がストレートに出ている性質の資料であるといえる。昭和二十三年（一九四七）に発行された「ひまわり」第二集に収録された児童の作文は以下のとおりである。

僕は横浜で家を焼かれて二ヶ月上野で暮した。毎日毎夜、それは淋《さび》しい日を送りました。楽しい日もないではなかったけれど、それもその日だけで、あとはまたもとのくらい生活に帰るばかりでした。
八月になって、横浜で知り合ひになったMPに可愛がられハウス・ボーイになった。生れてはじめてアメリカの食物やいろんな品物を貰った。（中略）そしていよ〳〵ジョジーさんが帰る日が来ました。僕は横浜迄見送りに行ったのです。ジョジーさんは涙を流して握手をしました。私は形見に日本のお守りを上げました。やがて船は港を出帆した。僕はいつまでもいつまでも見送って居た。そして涙がこぼれ落ちるのをどうすることも出来なかった。

あきらめて兵舎へ帰った私は、荷物を片付け、翌朝兵舎の長の人にお礼を言ってそこを出た。新しい浮浪の日が始まったのだ。

これからさき、どうして暮らしてゆこう。

思案しながら、僕は野毛に行き、知っている屋台店で手伝をした。そこで一月位しているうち、第二保護所に収容された。その時靴磨きもした。そのうち中里学園へ送られた。そこで五月迄居たが、僕は面白くなくて逃げ出してしまひ、保護所の所長さんに怒られ、こんどはこのボーイズホームにやって来た。はじめここもやはりトンヅラしたが、遂に落ち着いて今では真面目に勉強しようと張切っている。僕は今新制中学の二年生だ、新しく輝かしい日が僕を待っている。


この作文からは、横浜の空襲で孤児となった児童が占領軍のＭＰ（憲兵）「ジョジーさん」のハウスボーイとなり、恵まれた暮らしを送っていたが、兵士が帰還したために浮浪生活に戻り、曲折を経てボーイズホームに保護されるまでの経緯が情感豊かに記されている。

このほかにも、原爆被害を受けて家族を失い、各地を流転しながら横浜に来た児童の作文や、警察による「浮浪児狩り」の様子を詳細に記した作文などがあり、孤児たちの境遇と心境を知る貴重な資料となっている。

4、むすびに——戦後社会事業団体関連資料を保存する意義

今回の調査では、ボーイズホーム以外にも、戦争孤児を保護した高風《こうふう》子供園（横浜市中区）や、占領軍兵士と日本人女性との間に生まれ、捨て子となったり育児放棄をされたりした幼児を保護した聖母愛児園（横浜市中区）に多数の資料が残されていることが明らかとなった。これらの資料を横浜都市発展記念館で展示したところ、反響は大きく、複数のメディアに取り上げられ、多くの市民が展示に訪れた。

戦争の記録の保存は、ともすれば戦時期の記録に偏《かたよ》りがちになるが、戦後も長く戦争の影響は及び、特に社会的弱者を苦しめた。これらの人々の受けた被害の実態と、彼らに救いの手を差し伸べた地域の団体の歴史は、戦時期の記録と同様に掘り起こされ、保存されるべきであると筆者は考える。このために、戦後から活動を継続している施設の方々とのコミュニケーションは欠かせないものであり、資料の調査や寄贈など、様々な協力を得ることが必要不可欠である。今後は寄贈資料の調査・研究の深化に加え、神奈川県全域の施設に調査対象を広げ、さらなる資料の発掘に努めてゆきたい。

参考文献

・神奈川県中央児童相談所編・発行『神奈川県中央児童相談所所誌』（一九五一年）
・西村健「戦後横浜の社会福祉事業─引揚者、浮浪児・戦争孤児、「混血孤児」の保護を中心として─」（『横浜都市発展記念館紀要』第一二号、二〇一六年）
・横浜都市発展記念館編『焼け跡に手を差しのべて─戦後横浜の復興と救済の軌跡─』（企画展示図録、（公財）横浜市ふるさと歴史財団、二〇一六年）
・西村健「戦後横浜の戦争孤児を保護した民間児童養護施設」（『横浜都市発展記念館紀要』第一三号、二〇一七年）
・横浜都市発展記念館編『奥村泰宏・常盤とよ子写真展　戦後横浜に生きる』（企画展示図録、（公財）横浜市ふるさと歴史財団、二〇一八年）

〔付記〕本稿の執筆にあたり、（福）福光会子どもの園 理事長、和田直熙氏と（福）みどり福祉会 理事長、戸田堯子氏に多大なご協力を賜りました。末尾ながら厚くお礼申し上げます。

第４部　教材として役立つ地域資料

古代史の宝庫を開く鍵

16 『常陸国風土記《ひたちのくにふどき》』の魅力

――茨城の古代史はおもしろい――

久信田喜一

対象地域

茨城

1、はじめに

茨城県は古代史の宝庫と言っても過言ではないだろう。というのは、茨城県は古代の常陸《ひたち》国と下総《しもふさ》国北部及び陸奥《むつ》国の一部から成り立っているが、幸いにも、茨城県にはいわゆる「古風土記」のひとつ『常陸国風土記』が現存しているからである。

和銅六年（七一三）のいわゆる風土記撰進の詔《みことのり》によって日本全国で編纂《さん》されたはずの風土記であるが、この時に編纂された風土記、いわゆる「古風土記」が現存しているのは、出雲《いずも》・常陸・播磨《はりま》・肥前《ひぜん》・豊後《ぶんご》の五か国しかない。茨城県が古代史の宝庫であると言う理由はそこにあり、その宝庫の扉を開く鍵のひとつが『常陸国風土記』なのである。

2、『常陸国風土記』の成立年代と編纂者

現存する『常陸国風土記』には一部省略があり、奥付も省略されているので、その内容から成立年代を考察するほかない。記載内容のなかで『常陸国風土記』の成立年代について考える指標はいくつかあるが、決め手となるのは、㈠『常陸国風土記』多珂《たか》郡条に「石城《いわき》の郡は、今は陸奥の国の堺の内にあり」と見えること、㈡『常陸国風土記』の里名の表現は、漢字二字の表現が一般的であるが、行方《なめかた》郡田里や香島《かしま》郡浜里など漢字一字の表現も見られ、「田里《たのさと》」や「浜里《はまのさと》」は、それぞれ『和名類聚抄《わみょうるいじゅしょう》』に見える「道田郷」「幡麻《はま》郷」にあたり、それらが漢字二字に改められる以前の表記と考えられることの二点である。

㈠については、石城郡は、はじめは陸奥国の内で、養老二年から五年（七一八～七二一）のみ石城国となり、養老五年以後再び陸奥国に併合されたから、『常陸国風土記』の「石城郡は今は陸奥国の内にあり」という記事は、石城郡が養老五年以後再び陸奥国に併合された時期の内容を示すものと考えられ、次に㈡は、里名は、神亀三年（七二六）の民部省口宣により漢字二字に改められたから、漢字一字の里名表記が見える『常陸国風土記』は、里名が漢字二字に統一される神亀三年以前の地名表記を反映したものと言うことができる。

すなわち『常陸国風土記』は、その記載内容からすると、㈠から養老五年以後、㈡から神亀三年以前の内容を反映したものと考えることができるのである。

次に考えなければならないのは『常陸国風土記』の編纂者は誰かということである。

この点については、阿倍狛朝臣秋麻呂《あべのこまあそんあきまろ》とする説、石川難波麻呂《いしかわのなにわまろ》と春日倉首老《かすがのくらのおびとおゆ》とする説、藤原《ふじわらの》宇合《うまかい》と高橋虫麻呂《たかはしのむしまろ》とする説などがあるが、藤原宇合と高橋虫麻呂と考えるのが妥当であろう。

藤原宇合は藤原鎌足《ふじわらのかまたり》の子不比等《ふひと》の三男で、養老三年（七一九）から七年（七二三）頃まで常陸守をつとめた。高橋虫麻呂は生没年不詳であるが、天平四年（七三二）に西海道節度使《さいかいどうせつどし》として九州へ下る宇合に歌を贈っているから、宇合と親交があったものと思われ、『万葉集《まんようしゅう》』に作歌三六首が収録され、「那賀《なか》郡の曝井《さらしい》の歌」「筑波山に登る歌」など常陸国を題材にした歌が多く、用字・枕《まくら》詞《ことば》の用法など『常陸国風土記』と共通する点が多い。

すなわち『常陸国風土記』は、藤原宇合が常陸国の守であった時に高橋虫麻呂が執筆・編集し、宇合が監修したものと考えられるから、藤原宇合が常陸国の守であった養老三年から七年の間の編纂ということになる。さらにその記載内容の分析つまり『常陸国風土記』は養老五年以後、神亀三年以前の内容を反映したものと考えることができるということを考え合わせると、『常陸国風土記』の編纂時期は養老五年（七二一）から七年（七二三）の間ということになるのである。

3、『常陸国風土記』の伝来と写本

風土記は各国から解文《げぶみ》として朝廷に提出された。『常陸国風土記』にも冒頭に「常陸国の司の解、古老の相伝ふる旧聞を申す事」と見える。

『常陸国風土記』は鎌倉時代末期頃までは一部には知られ、延喜年間（九〇一～九二三）の矢田部《やたべの》公望《きみもち》の『公望私記《きみもちしき》』、文永六年（一二六九）の仙覚《せんかく》の『万葉集注釈』、同十一年（一二七四）～正安三年（一三〇一）の卜部兼方《うらべのかねかた》（懐賢《かねかた》）の『釈日本紀《しゃくにほんぎ》』、文永・弘安年間の「塵袋《ちりぶくろ》」などに引用されたが、室町・戦国時代に入ると所在不明となってしまう。水戸藩二代藩主徳川光圀《とくがわみつくに》は、『大日本史』編纂のために『常陸国風土記』を探したが、発見できず、やむなく小宅生順《おやけせいじゅん》に命じて新たに編纂させ、寛文七年（一六六七）にひとまず完成して、表題を「常陸国風土記」とした。

ところが、延宝二年（一六七四）の生順没後、加賀前田家に元和・寛永の頃の写本があることがわかり、同五年二月に水戸藩の彰考館《しょうこうかん》の学者が筆写した。これが彰考館本である。加賀前田家本は、元禄～宝永の頃までは前田家にあったことが確認されているが、現存しない。したがって彰考館本が『常陸国風土記』の唯一の伝本で、以後の写本はすべて彰考館本の写である。しかし彰考館本は昭和二十年（一九五三）八月二日未明の水戸空襲のため焼失してしまった。

『常陸国風土記』の写本には、故武田祐吉《たけだゆうきち》架蔵本（國學院大學図書館所蔵）、松下見林《まつしたけんりん》本（大東急記念文庫所蔵）、加藤松蘿《かとうしょうら》本（茨城県立図書館所蔵）、小宮山楓軒《こみやまふうけん》本（国立国会図書館所蔵）などがあり、最も流布しているのは、水戸藩九代藩主徳川斉昭の命によって西野宣明《にしののぶあき》が校訂・註釈し、天保十年（一八三九）に『訂正常陸国風土記』として出版した西野宣明本であるが、現存する『常陸国風土記』の写本のなかで最良の写本と言えるのは、文久二年（一八六二）に彰考館の学者菅政友《かんまさすけ》が彰考館本を忠実に書写した菅政友本（茨城県立歴史館所蔵）である。

4、茨城の里と輔時臥の山

『常陸国風土記』は読めば読むほど魅力が増す本である。以下『常陸国風土記』を読みながら茨城の古代史のおもしろさを味わってみよう。

『常陸国風土記』那賀郡条に「茨城の里、此より北に、高き丘あり。名を輔時臥《ふじふし》の山と曰ふ」と見え、茨城の里とは現在の笠間市小原及び水戸市の旧内原町中部・南部一帯にあたる。

右の文以下に次のような説話が記されている。

ツガヒコ・ツガヒメという兄妹がいた。妹のところにやってきて求婚し、夜やってきて昼帰る者がおり、夫婦となって妹は小さな蛇を産んだ。心ひそかに神の子だろうと思った兄妹は、清浄な坏《つき》に小蛇を入れ、祭壇を設けて安置した。

蛇は一夜のうちに成長して、すっかり坏より大きくなってしまっていた。そこで平たい皿に替えて入れるとまた皿の中に一杯になっていた。そのようなことが何度もあって、入れてやる器がなくなってしまったので、母は「おまえは神の子であるとわかりました。わが一族の力ではおまえを養育しきれません。おまえのお父様のいるところに行きなさい」と言った。その時、子は悲しんで泣き、「謹んで母上の言葉に従います。しかし私は一人で、同行して助けてくれる者がおりません。あわれに思って子供一人を付き添わせてください」と言った。母は「わが家には母と伯父しかいないので、おまえに従って行く者はいません」と答えた。するとと子はそれを恨みに思って、怒りのあまり伯父を雷の力で殺して、天に昇ろうとした。母が仰天して盆を取って投げたので、それが子の身体に触って昇ることができなかった。そのためこの峰に留まった。蛇を盛った皿と甕《みか》は今も片岡の村に残っている。その子孫が社を立てて祭をし、代々継いで今も続いている。

　輔時臥の山の「フジフシ」とは「周囲より小高いところ」という意味があり、諸説あるが、現在の朝房山《あさぼうやま》（水戸市・笠間市・城里町の境）にあたるという説が妥当である。

　蛇を盛った皿と甕が今も残っているという片岡の村についても諸説あるが、現在の水戸市木葉下《あぼっけ》町・谷津《やつ》町一帯とする説が妥当である。というのは、木葉下町の小字三加野入《みかのいり》・三加野東《みかのひがし》入《いり》の「三加野」は「甕の村」を意味し、谷津町の「谷津」は「夜刀《やと》」つまり蛇を意味するから、いずれも輔時臥の山の説話の内容に合致するからである。さらに谷津町に立野神社があるが、「タチノ・タツノ」は龍を意味し、元来は蛇をまつった神社と考えられ、「その子孫が社を立て祭をし、代々継いで今も続いている」という記事に合致する。また木葉下町一帯には八世紀初頭から九世紀初頭の窯跡が多数存在し、一帯は古代の一大窯業地であったものと考えられ、これは「盛りたるひらかと甕は、今も片岡の村にあり」という文に合致する。

この説話は、夜通ってくる者がおり、その子が天に昇ろうとしたことなどから三輪山系神婚説話と同類の説話と考えられ、木葉下一帯の須恵《すえ》窯《よう》群から須恵器が生産されていくさまが、蛇を盛った皿と甕にまつわる説話を生み、それが三輪山系神婚説話と結びついてこの説話となったと思われる。この説話を生み出し、かつ伝承していったのは、片岡の村の、すなわち木葉下一帯の須恵窯群の工人たちであったのかもしれない。

5、高市と密筑の里

『常陸国風土記』久慈《くじ》郡条に、「高市《たけち》と称へるあり。此より東北のかた二里に密筑《みつき》の里あり。村の中の浄《きよ》き泉を俗《くにひと》大井と謂ふ。夏は冷やかにして冬は温かく、湧き流れて川と成る。夏の暑き時には、遠迩《おちこち》の郷里より、酒と肴とを齎賚《もちき》て、男も女も会集《あいつど》ひ、休《いこ》ひ遊び飲み楽しめり。その東と南とは、海浜に臨む。石決明《あわび》、棘甲蠃《うに》、魚・貝等の類甚多なり。西と北は山野を帯ぶ。椎・櫟《いちい》・榧《かや》・栗生ひ、鹿・猪住めり。凡《すべ》て山と海との珍しき味わひ、悉《ことごと》には記すべからず」と見える。

「高市」は、土地の高い場所にある市という意味で、現在の石名《いしな》坂（日立市）を登った台地上で市が開かれたから、「高市」といった。『和名類聚抄』の「高市郷」にあたり、現在の日立市石名坂・南高野・久慈町一帯に比定される。古くからの交通の要地で、静織里《しどりのさと》（那珂市）で織られた倭文《しどり》や太田郷（常陸太田市）で織られた長幡部《ながはたべ》の絁《あしぎぬ》、密筑の里や助川の里（いずれも日立市）などの海岸からの塩・海藻・魚介類などが交易された。

密筑の里の里名「ミツキ」の「ミ」は美称、「ツキ」は「尽き」で、「崖地」を意味し、密筑の里は、現在の日立市水木・河原子《かわらご》・大みか・森山・金沢・大沼・大久保・諏訪・多賀・国分町周辺一帯に比定される。水木・河原子周辺は海岸段丘が発達して急崖が多く、海岸段丘の中位段丘面が海に臨むところには海蝕崖《かいしょくがい》が発達し、「崖地」を意味する「ミツキ」にふさわしい地形を現在でも残している。

また、「大井」は日立市水木町の泉が森の泉、「川」は泉が森から流れる川にあたり、「男も女も会集ひ、休ひ遊び飲み楽しめり」とあるので、泉のほとりで歌垣が行われていたものと思われる。さらに「凡て山と海との珍しき味わひ、悉には記すべからず」とあるから、密筑の里は山や海の産物が豊富であった。その産物は隣の高市まで運ばれ、交易されたのである。

日立市森山町の泉前《いずみまえ》遺跡は、七世紀後半から八世紀前半の遺跡で、密筑の里の集落の遺跡と考えられている。第一次調査で一七軒の竪穴住居跡、第二次調査で一九軒の竪穴住居跡と八棟の掘立柱建物跡が検出され、第九号住居跡出土の須恵器高台付坏の底部に「大」という箆書《へらがき》があり、

「大」は密筑の里の大井を意味するものと思われる。

6、藻嶋郷と藻嶋の駅家

『常陸国風土記』多珂郡条に「郡の南三十里に、藻嶋《めしま》の駅家《うまや》あり。東南の浜に碁子《ごいし》あり。色、珠玉のごとし。謂《い》わゆる常陸の国に有らゆる麗しき碁子は、唯是《ただこ》の浜のみ。昔、倭武《やまとたける》の天皇、舟に乗りて海に浮かびて、島の磯を御覧《みそな》はししに、種々の海藻、多《さわ》に生ひて茂り栄ゆ。因《よ》りて名づく。今も然り」と見える。

藻嶋郷は、現日立《ひたち》市伊師《いし》に目島《めしま》・目島中町・目島中道という小字が残り、同地及び現日立市伊師本郷・山部及び高萩《たかはぎ》市石滝《いしたき》・福平《ふくだいら》周辺に比定される。藻嶋の駅家は、養老三年（七一九）に石《いわ》城《き》に設置された海道一〇駅に連絡するために設置された。常陸国府（石岡市）から安侯《あこ》駅（笠間市）、河内駅（水戸市）、石橋駅（那珂市）、助川駅（日立市）、藻嶋駅（日立市）、棚嶋駅（北茨城市）を経由して陸奥国へと行く駅路の駅家で、奥羽経略の安定により陸奥国の海道の駅が廃止されると不要となり、弘仁三年（八一二）十月に廃止された。

日立市伊師西上台から礎石・布目瓦《ぬのめがわら》・須恵器・鉄釘が出土し、以前から藻嶋の駅家跡と推定されていた。最近になって長者山官衙遺跡《ちょうじゃやまかんがいせき》（日立市十王町《じゅうおうちょう》伊師愛宕《あたご》神社境内）が発掘され、東西一三四～一六五メートル、南北一一〇～一一六メートルの範囲を不整台形状に区画する溝が確認され、その内部から八世紀～十世紀の掘立柱建物と礎石建物などの遺跡が確認された。遺構は三期に区分され、Ⅰ期は七世紀後半から八世紀中葉にあたり、東側に七世紀後半代の竪穴建物七棟、西側に八世紀中葉の南北方向の溝などが確認された。Ⅱ期は八世紀中葉から九世紀中葉にあたり、九棟の掘立柱建物が確認され、藻嶋の駅家の遺跡と推定される。Ⅲ期は九世紀中葉から十世紀中葉にあたり、倉庫と考えられる八棟の礎石建物が確認され、多珂郡衙の正倉別院《しょうそうべついん》の遺跡と推定される。

その東側に隣接して南北に延びる道路跡が存在し、側溝跡・路盤などが確認されている。道路幅は五・五メートル～六・七メートルで、一部は最大幅が一八・五メートルある。平成三十年十月十五日に「長者山官衙遺跡及び常陸国海道跡」として国史跡に指定された。

碁石を産する浜は、現在の日立市伊師の碁石浦にあてる説と日立市川尻町の小貝浜にあてる説があるが、碁石浦から小貝浜にいたる海浜と考えるのが妥当であろう。

次に「藻嶋」の由来が倭武の天皇と関連づけて説明されているが、『常陸国風土記』の倭武天皇巡幸説話は、元正《げんしょう》天皇などの大嘗祭《だいじょうさい》に関連した巡幸行事の影響を受けて成立したものと考えられ、『常陸国風土記』の編纂者は、常陸国に行幸した伝承のある天皇がいないので、甲斐酒折宮《さかおりのみや》で「新治筑波《にいはりつくば》を過ぎて幾夜か寝つる」という歌を歌ったという常陸国通過伝承があるヤマトタケルノミコトを倭武天皇にまつりあげ、倭武天皇の巡幸とそれにまつわる地名の命名という説話をまとめあげたものと思われる。

長者山遺跡礎石建物跡（写真提供：日立市郷土博物館）

したがって『常陸国風土記』の倭武天皇巡幸説話は、『常陸国風土記』編纂者による潤色が施されている可能性が高いから、その史料としての信憑性は疑ってかかる必要があり、ひとまずその説話の内容から倭武天皇に関する要素を取り除くと歴史事実が見えてくる。

右の文の場合も倭武の天皇に関する要素を取り除くと、「種々の海藻、多に生ひて茂り栄ゆ」という文章のみが残る。つまり、そこから導き出される歴史事実は、藻嶋郷はいろいろな種類の海藻がたくさん生い茂っているところだったということである。「シマ」は、古代には「島」ではなく「一定の地域」をさす言葉であったから、「メシマ」とは「海藻が生い茂っているところ」という意味に由来するものなのである。

7、おわりに

「『常陸国風土記』の魅力―茨城の古代史はおもしろ

い―」と題して、『常陸国風土記』の成立年代と編纂者及び伝来と写本について解説し、さらに『常陸国風土記』那賀郡条の茨城の里と輔時臥の山、久慈郡条の高市と密筑の里、多珂郡条の藻嶋郷と藻嶋の駅家について紹介した。

『常陸国風土記』を読み解いていくと、古代の茨城の姿がくっきりと浮かび上がってくる。本章はその一端を紹介したものであるが、本章により『常陸国風土記』の魅力と茨城の古代史のおもしろさを感じていただけたとすれば望外の喜びである。

参考文献

・『茨城県史料＝古代遍』（茨城県、一九六八年）
・久信田喜一「『常陸国風土記』の説話と日本武尊伝説」（『歴史手帖』七巻二号、一九七九年）
・久信田喜一「『和名抄』に見える常陸国久慈郡の郷について」（『日本歴史』四八二号、一九八八年）
・久信田喜一「古代常陸国多珂郡の郷について」（『茨城史林』一二号、一九八八年）
・植垣節也校注・訳『新編日本古典文学全集5風土記』（小学館、一九九七年）
・久信田喜一「輔時臥之山と片岡之村」（『常総の歴史』四二号、二〇一一年）

17

「駆け込み」資料から地域がわかる

寺に駆け込むということ
——上州館林藩にみる入寺と寺訴訟——

佐藤孝之

1、入寺と寺訴訟

寺に駆け込むといえば、すぐに思い起こすのは相州鎌倉の東慶寺《とうけいじ》と上州新田《にった》郡徳川郷の満徳寺《まんとくじ》であろう。この両寺は、ともに縁切寺として幕府に公認されていたのであり、女性が縁切りのために駆け込んだことはよく知られている。

しかしながら、寺に駆け込むという行為は、縁切りのための東慶寺・満徳寺への駆け込みだけではなかった。実は、近世においては、村や町の寺院はすべて駆込寺であったといっても過言ではなく、寺に駆け込む行為は広範にみられた。離縁だけではなく、離縁も含む多種多様な理由による駆け込みが展開していたのである。こうした寺への駆け込み行為を、以下本章では、最も一般的に使われた「入寺《にゅうじ》」ということにする。

かつて筆者は、全国的に入寺の事例を収集・検討して、入寺には①謝罪・謹慎の意思表示としての入寺、②処罰・制裁としての入寺、③救済・調停手段としての入寺、の三つの機能・性格があることを明らかにした。そして、入寺は中世社会におけるアジールが、近世社会において変容し、三つの機能・性格をもって展開したことを指摘した。また、入寺人《にゅうじにん》を受け入れた寺院は、①・③に関わって、相手や領主への謝罪や赦免歎願《しゃめんたんがん》を行ったのであり、赦免歎願には入寺を伴わない場合もみられた。筆者は、入寺の有無に関わらず、寺院によるこうした訴願活動を「寺訴訟《てらそしょう》」と規定し、寺院の積極的な救済活動の一環と位置付けた（佐藤：二〇〇六）。

本章では、このような入寺と寺訴訟をめぐる領主（権力）と地域住民（民衆）との相互関係を、上州館林《たてばやし》藩を事例に探ってみたい。なお、館林藩における入寺と寺訴訟については、かつて触れたことがあり（佐藤：二〇一九）、一部重複する点があることをお断りしておきたい。

２、上州館林藩の概要

それでは、本論の前提として、舞台とする館林藩について簡単に紹介しておこう。館林藩は、天正十八年（一五九〇）に、徳川四天王の一人といわれる榊原康政《さかきばらやすまさ》が入封《にゅうほう》して以降、大給《おぎゅう》松平氏↓徳川氏↓越智《おち》松平氏↓太田氏↓越智松平氏（再入封）↓井上氏と藩主家が交替し、最後に明治維新を迎えたのは秋元氏であった。

このように、館林藩では頻繁に藩主家が交替したが、その変遷を示せば表示のようになる。館

表　館林藩主の変遷

家名（代数）	期間	所領高
榊原氏（3 代）	天正 18 ～寛永 20 年（1590 ～ 1643）	10 万石
※寛永 20 ～正保元年　城番		
大給松平氏 (2 代)	正保元～寛文元年（1644 ～ 1661）	6 万石→ 6.5 万石
徳川氏（2 代）	寛文元～天和 3 年（1661 ～ 1683）	25 万石
※天和 3 ～宝永 4 年　廃藩・廃城		
越智松平氏 (2 代)	宝永 4 ～享保 13 年（1707 ～ 1728）	2.4 万石→ 5.4 万石
太田氏（2 代）	享保 13 ～享保 19 年（1728 ～ 1734）	5 万石
	※享保 19 ～元文 5 年　城番	
	元文 5 ～延享 3 年（1740 ～ 1746）	
越智松平氏（3 代）	延享 3 ～天保 7 年（1746 ～ 1836）	5.4 万石→ 6.1 万石
井上氏 (1 代)	天保 7 ～弘化 2 年（1836 ～ 1845）	6 万石
秋元氏（2 代）	弘化 2 ～明治 2 年（1845 ～ 1869）	6 万石

注　館林市史編さん委員会：2016 の「近世館林藩主の変遷」表（3 頁）をもとに作成。

林藩主であった徳川綱吉《とくがわつなよし》が五代将軍になると、藩主は子の徳松《とくまつ》が継いだ。しかし、まもなく徳松が死去すると、館林藩は廃藩となった。その後、宝永四年（一七〇七）になって、越智松平氏が入封し館林藩が再興された。越智松平氏は、武元《たけちか》が家督相続と同時に陸奥《むつ》国棚倉へ転封《てんぽう》になったが、後に館林に再入封した。越智松平氏が館林を離れている間は太田氏が藩主であった。太田《おおた》資晴《すけはる》が大坂城代に就任すると、館林城には城番が置かれ、所領は幕府預りとなったが、資晴没後に子の資俊が館林藩主に戻った。これら歴代藩主には、徳川氏は別として、譜代大名として幕府の要職に就き、老中に就任した者も多かった。所領高は、榊原氏・徳川氏を除けばいずれも五～六万石で、幕閣の中枢を担う譜代大名として、平均的な所領高といえる。その領域は、もちろん藩主家によって異なるが、館林町が属する上州邑楽《おうら》郡を中心に、山田郡・新田郡・勢多郡の一部や野州・武州の一部が加わるのが普通で、これら城付地以外に遠隔地に飛地を持つ場合もあった（館林市史編さん委員会：二〇一六）。

３、藩による入寺・寺訴訟の規制

館林藩領では、享保三年（一七一八）に、「館林騒動」と呼ばれる年貢減免を求めた百姓一揆《いっき》が起こった。この時、三名の名主が一揆の頭取として藩に拘束されたが、「館林騒動記」（『館林双書』第二九巻）によれば、拘束された名主たちの身を案じた村々は、「この度の命乞いは「平寺《ひらでら》」（普通の寺院）の詫びで叶わない。「名高き寺」が五つあるので、これを頼りにするにしくはない」と、「名高き」五つの寺院を頼って助命歎願をすることにした。そして、五か寺の承諾を得た村々は「五か寺はそれぞれ「名誉の寺々」であるから、これをもって詫びた時は、いかなる極悪人の命乞いであっても叶わないことはない」と、心を休めたという。ここで「名高き寺」「名誉の寺々」といわれている寺院は、館林町と近隣に所在する朱印地《しゅいんち》（将軍の朱印状で認められた寺領）を持つ五つの寺院のことである。このように、寺院が依頼を受けて救済に当たることが、まさに寺訴訟であり、寺院に期待された役割であった。そして、この場合「平寺」では十分な効果は得られないとして、「名高き寺」が求められたのであった。

結果は、「名高き寺」五か寺による助命歎願は藩によって拒否され、名主三名は処刑されてしまうのであるが、この一件を受け、江戸藩邸では館林表に対し、翌年四月に次のような指示を出した（館林市史編さん委員会：二〇二〇、二四七頁）。

申し渡しの覚

今度、その表において重科の者ども御仕置仰せ付けられ候、これにより、「寺院御容赦之願《じいんごようしゃのねがい》」これなきようにと先だって相触れ候ところ、その聞き入れもこれなく、五ヶ寺を相頼み度々「御容赦之儀」申し出られ候、前々よりも御仕置者これある節は、寺院数度訴訟これあり、その上罪の品軽重も相知れざる以前にも、寺入あるいは達て容赦せしめ候ようにと申し出られ候、願いに任せ差し赦《ゆる》し候えば、罪科の者をば相制せず、賞罰の道理を相枉《ま》げると申すものに候えば、強いて訴訟これある時は御仕置の妨げに罷《まか》りなり（中略）惣じて「寺院方容赦之訴訟」差し控え、向後申し出ざるように申し達し置き候ようにと、仰せ出さるものなり

亥四月

このように、江戸藩邸では「寺院御容赦之願」＝寺訴訟をしないように以前触れたが、それを聞き入れず、五か寺を頼みたびたび「御容赦之儀」を申し出たと指摘し、「寺入《てらいり》」＝入寺などによる容赦を認めていては、統治の妨げになるとして、今後「寺院方容赦之訴訟」をしないように寺院へ触れることを命じたのであり、藩の強い姿勢が窺える。

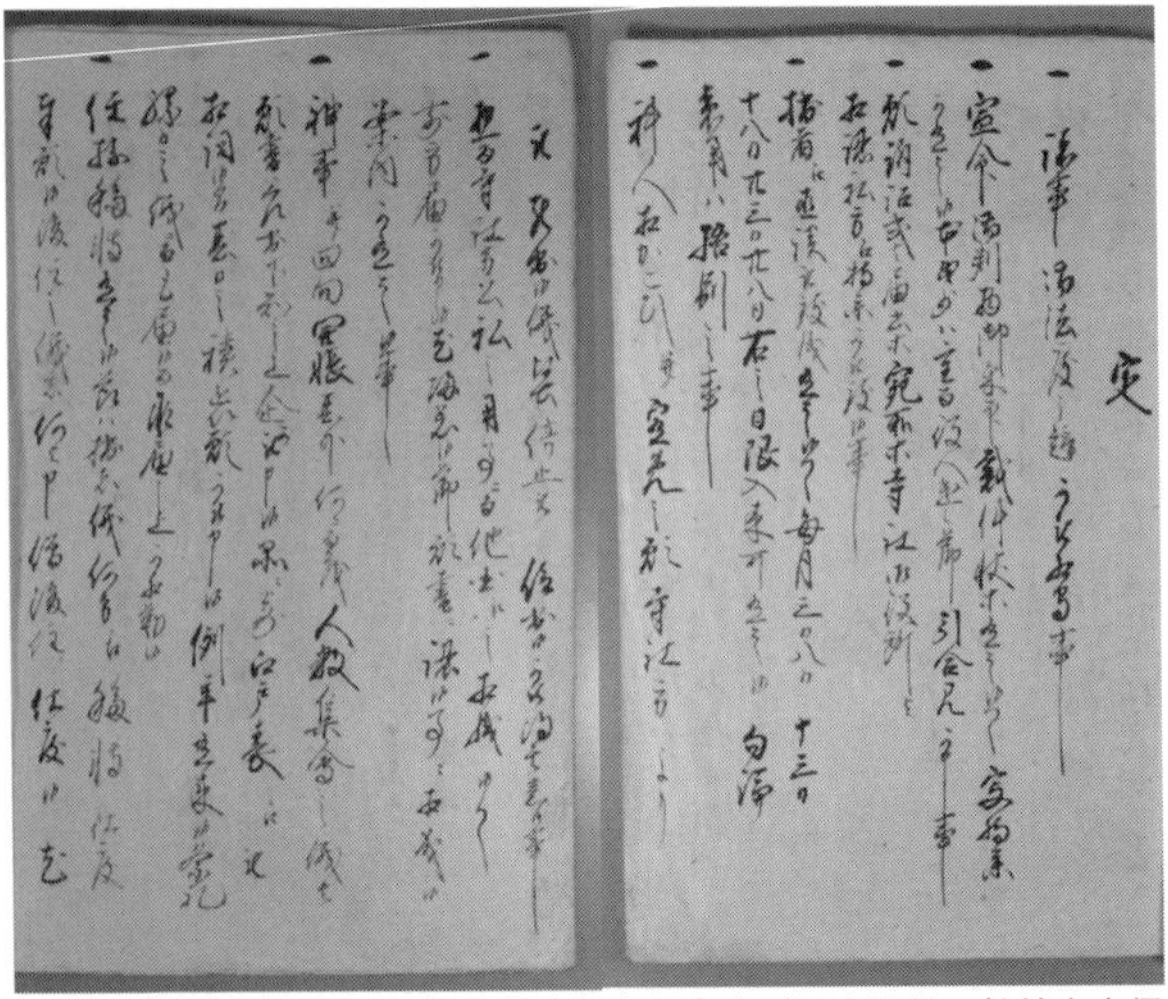

写真１　延享４年４月の館林藩寺社奉行定書（写真提供：館林市史編さんセンター）

さて、館林騒動のあった時の藩主は越智松平氏であるが、同氏は享保十三年（一七二八）に陸奥国棚倉へ移封になり、一八年後の延享三年（一七四六）に再び館林藩主を命じられた。そして、翌延享四年四月に発せられた寺社に対する定書《さだめがき》（【写真１】）に、「科人《とがにん》相かこひ、并《なら》びに「宥免《ゆうめん》之願」寺社方より罷り出られ候儀、堅く停止仰せ出され候、その意を得らるべく候こと」（館林市史編さん委員会：二〇二〇、一〇一頁）との一か条が含まれていた。すなわち、入寺による犯罪人の「かこひ」＝庇護《ひご》、および寺院や神社による「宥免之願」＝寺訴訟（神社も含む）を厳禁しており、享保期と同様に入寺・寺訴訟を規制する方針が改めて表明されている。

こうした藩の厳しい姿勢は、次の一件にも

表れている。館林城下に興蔵寺《こうぞうじ》という修験寺院があった。興蔵寺は、新当郷《しんとうごう》村の村役人・宮持《みやもち》百姓らと神社の別当職をめぐって訴訟となり、寛延元年（一七四八）に追放処分を受けた。同三年になって、「此度法会《ほうえ》ノ赦《ゆるし》トシテ、先年追院セラレシ興蔵寺住僧帰院ノコト、霞《かすみ》下《か》ノ者共、且、応《おう》声寺《しょうじ》・覚応寺ヨリ請ヒ出タレトモ、赦ヲ始メ寺院ヨリ如此類《このごときたぐい》ノ願ヒ一切スマジキ旨、兼テ寺社取次ヨリ触置タルコトナレバ、取上ズ」（館林市史編さん委員会：二〇二〇、二八九頁）と、法会による恩赦を期待して、興蔵寺配下の修験や応声寺・覚応寺といった寺院が、追放処分を受けた住僧の復帰を願い出たのであった。これに対し藩側は、「このようなことは一切してはならない、と兼ねて触れている」として、願いを取り上げなかった。兼ねての触れとは延享四年の定書を指すものであろう。それに従って寺訴訟は受け付けないという判断を下したのである。

4、町村にみる入寺と寺訴訟

右にみてきたように、入寺や寺訴訟は藩によって規制・禁止されたのであるが、このことは逆にいえば、入寺や寺訴訟が行われていたことを示し、館林騒動も興蔵寺一件もしかりである。越智松平氏藩主時代の記録に、安永二年（一七七三）「太祖君《（松平清武）》年回ニ付、円教寺願ニ由《より》テ、帰村六人・帰町三人赦免アリ」（館林市史編さん委員会：二〇二〇、二七〇頁）ともみえ、円教寺は松平氏の位牌寺であるが、そうした寺院を通じて、藩祖の年回（年忌）の機会に罪人の赦免歎願が行われたのであり、ここでは赦免が実現している。罪人赦免の条件に藩主家の菩提寺や祈願寺による歎願を規定した藩は多くみられる（佐藤：二〇〇六・二〇一九）。館林藩について、この事例のみで制度的とは断定できないが、この場合は「罪の品軽重も相知れざる以前」ではない、ということもあったのではないか。

以上は、越智松平氏藩主時代の事例であるが、さかのぼれば延宝年間にも寺訴訟を見出すことができる。徳川綱吉藩主時代の延宝六年（一六七八）に、正儀内《しょうぎない》村春昌寺《しゅんしょうじ》（曹洞宗）と、同寺末寺の千塚《ちづか》村常栄寺《じょうえいじ》との間で末寺離脱争論が起き、常栄寺旦那の千塚村源兵衛《げんべえ》が「不届」があったとして籠舎《ろうしゃ》の処分を受けた。これに対し「春昌寺訴訟申され候につき、出籠《しゅつろう》の儀仰せ越され候、御紙面どおり家老中へ申し達し候えば、何《いず》れもより仰せ越され、その上春昌寺当地へ相詰められ訴訟これあり候間、源兵衛出籠申し付けられ候、左様お心得なさるべく候」（館林市史編さん委員会：二〇二〇、二一八頁）と、これは藩の役人から関東の曹洞宗寺院を統括した関三箇寺に宛てた書面の一節であるが、源兵衛を救済すべく春昌寺は、「当地」（江戸か）に詰めて「訴訟」し、その結果源兵衛は「出籠」＝赦免となったのである。

入寺についてはどうであろうか。文化十年（一八一三）の赤生田《あこうだ》村永明寺《えいめいじ》の「養老山年中行事」という史料に、「入寺人これあり候わば、訳合を聞き届け、書付を取り、欠《(掛)》合に及ぶべく候」（館林市史編さん委員会：二〇二〇、一五一頁）という記事がみえる。この史料の前半は、表題の通り永明

写真２　館林 善導寺山門（写真提供：館林市史編さんセンター）

寺の年中行事の記録であるが、後半は寺院運営上のマニュアルとでもいえる内容になっていて、掲出の記事は、入寺人から事情を聴取し、書付（調書）を作成したうえで、掛合に及ぶ、すなわち謝罪等の相手や藩側との交渉に当たる、という入寺があった場合の寺院としての対応を示している。享和三年（一八〇三）に、赤生田村の常七《つねしち》が、村方に対し不調法なことをしたとのことで、謝罪のため永明寺へ入寺した、という実際の入寺の事例もみられる（館林市史編さん委員会：二〇〇九、五九二頁、佐藤：二〇一九）。

また、館林城下の朱印寺である善導寺《ぜんどうじ》（【写真2】、朱印高一〇〇石）をめぐる次の事例も興味深い。弘化四年（一八四七）というので、館林藩最後の藩主秋元氏が入封した翌々年になるが、新封地の掌握のための一環であろうか、朱印寺善導寺への対応について幕府寺社奉行に伺書を提出している。そのなかの一か条に（館林

市史編さん委員会：二〇二〇、一二〇頁）、

一盗賊または不審なる者、召し捕るべしと追い駆け候節、右同寺へ逃げ込み、あるいは忍び置かせ候ようの儀これあり候節は、捕方の者踏み込み召し捕らせ候ても、然るべくござ候哉

とあり、追跡していた盗賊や不審者が、善導寺に逃げ込み、それを同寺が匿《かくま》っているような場合、境内に踏み込んで追捕しても構わないか、と伺い出たのである。秋元氏は、この伺書で、朱印寺である善導寺を領主の「付属」寺院と心得てよいかをまず伺っており、入寺行為に対しても慎重な対応が必要と考えたのであろう。

右の伺いに対する寺社奉行の回答は、次のようなものであった（同、一二一頁）。

書面、盗賊その外不審なる者、寺内へ逃げ込み、または囲い置き候わば、懸合を遂げ、時宜《じぎ》次第取り計らい方、お問い合わせ候方と存じ候

このように、入寺人については寺院側と話し合って、情勢を見て取り計らい方（踏み込むかどう

か）を問い合わせるのが適当ではないかというもので、境内に踏み込み逮捕することを否定してはいないが、積極的に承認もしていないという、いささか曖昧《あいまい》な姿勢といわざるを得ない。いずれにしても、善導寺に入寺人があることを前提とした伺いであり、前述した永明寺の事例とも併せて、入寺行為を当然とする村や町における共通意識と、その実践が背景にあったといえよう。

5、寺に駆け込むということ

以上、館林藩を舞台に、寺院を介した領主と地域住民との相互関係についてみてきた。領主側は、基本的に入寺や寺訴訟を認めない姿勢であり、館林藩でも越智松平氏の場合には同じことが指摘できる。しかし、実際には、領主側の規制にも拘《かかわ》らず、村や町では謝罪・謹慎や救済を求めた入寺、寺院を頼む寺訴訟が行われていた。領主側も、入寺や寺訴訟を法制度のなかに一部取り込んでもいた（佐藤：二〇〇六・二〇一九）。

寺院を介した入寺や寺訴訟、換言すれば寺に駆け込むということは、村や町、地域社会の紛争解決・平和回復の手段であり、領主側も全面否定するのではなく、「御仕置の妨げ」にならない限りで、柔軟《じゅうなん》な対応をみせた面もあったといえる。領主（権力）側の狡猾《こうかつ》さと、地域住民（民衆）側の強《したた》かさの両面の評価ができるのかも知れない。

入寺関係の史料は、各地に残されている。詫証文《わびしょうもん》等はもとより、意外なところに関連情報を

〝発見〟することもある。近世における地域社会の一側面を明らめる格好の素材になりうるであろう。

参考文献

・佐藤孝之『駆込寺と村社会』（吉川弘文館、二〇〇六年）
・館林市史編さん委員会編『館林の城下町と村』〈館林市史 資料編４・近世Ⅱ〉（館林市、二〇〇九年）
・館林市史編さん委員会編『近世館林の歴史』〈館林市史 通史編２〉（館林市、二〇一六年）
・佐藤孝之『近世駆込寺と紛争解決』（吉川弘文館、二〇一九年）
・館林市史編さん委員会編『館林の寺社と史料』〈館林市史 別巻〉（館林市、二〇二〇年）

〔付記〕本章を草するに当たっては、館林市史編さんセンターのご助力を得た。記して感謝申し上げたい。

18

地券からひろがる地域の歴史

壬申《じんしん》地券《ちけん》からみる地租改正

牛米　努

対象地域

1、はじめに

本章で取り扱う史料は、地租改正の前段階として発行された壬申地券である。壬申地券の壬申とは、明治五年（一八七二）の干支《えと》である。明治五年の法令により発行されたので壬申地券と称されるが、一般に地券といえば地租改正により発行された地券を指す。そのため、地租改正により発行された「改正地券」と区別するため、その前段の地券を壬申地券と称しているのである。改正地券なら教科書にも必ずといってよいほど掲載されるが、壬申地券となると、史料としてはあまり馴染《なじ》みがないと思われる。そこで、壬申地券という史料から地租改正について考えてみたいと思う。

2、壬申地券とは何か？

「地券」という言葉が、政府の法令に最初に登場するのは、明治四年十二月の太政官布告第六八二号である。

東京府下《とうきょうふか》、従来《じゅうらい》武家地《ぶけち》・町地《まちち》ノ称有之候処《しょうこれありそうろうところ》、自今相廃《じこんあいはい》シ、一般《いっぱん》地券発行《ちけんはっこう》・地租上納《ちそじょうのう》
被仰付候条《おおせつけられそうろうじょう》、此旨可相心得事《このむねあいこころうべきこと》

東京府下の武家地と町地の区別を廃止し、すべての土地に地券を発行して地租を上納することになったので、あらかじめ心得ておくようにという内容である。そして、翌明治五年一月に地券発行に関する租税寮達《そぜいりょうたっし》がだされるのである。

東京府下之儀《とうきょうふかのぎ》、従来《じゅうらい》地子免許相成居候処《ぢしめんきょあいなりおりそうろうところ》、今度御僉議《このたびごせんぎ》ノ上《うえ》、沽券税御発行《こけんぜいごはっこう》ニ付《つき》テハ、各《かく》
地方之内《ちほうのうち》、地子免許《ぢしめんきょ》ノ場所《ばしょ》エモ追々推及《おいおいおしおよび》御施行《ごしこう》ノ筈《はず》ニ候処《そうろうところ》、（後略）
猶以《なおもって》、今度田畑売買差許《このたびたはたばいばいさしゆるし》地券発行《ちけんはっこう》ノ儀《ぎ》、本省《ほんしょう》ヨリ一般公布《いっぱんこうふ》相成候処《あいなりそうろうところ》、本文無税《ほんぶんむぜい》ノ場所《ばしょ》
沽券税取調《こけんぜいとりしらべ》ノ儀《ぎ》ト不相混様《あいこんぜずよう》、御心得可有之候也《おこころえこれあるべくそうろうなり》

まず、本文は、今度、詮議の上、東京府に沽券《こけん》税を発行（実施）することになった。ついては、各府県の地子《じし》免許の土地にも適用していくので、充分調査しておくようにとある。免許は免除と同じで、省略している部分には、規則書を参照して調査せよと続いている。

東京府の地子免許地とは町人地のことである。江戸の町人地は沽券地と称されており、沽券とは売買証文を指す。江戸の町人地は地子免許、すなわち土地への課税は免除されていた。また、江戸には旗本や御家人、諸大名の藩邸などの武家地があった。武家地は将軍から拝領しているので無税である。つまり、東京府の町人地と武家地は、ともに土地課税が免除されていたのである。当時の東京府域は、武家地が七割で、町人地と寺社地がそれぞれ一割五分の割合であった。

先の太政官布告は、無税だった東京府の土地に地券を発行して地租を上納させるという、新規の沽券税の法令だったのである。東京の市街地に発行される地券なので、「市街地券」と称されている。しかも沽券税は、これ以降、各府県にも施行するというのである。

実は、ここで注意したいのは租税寮達の但し書きである。ここには、今度、田畑の売買を許可して地券を発行する布告を大蔵省（本省）からだすが、これと沽券税とを混同しないように注意せよとある。田畑の永代売買解禁は明治五年二月であるが、政府は売買された土地の所有を明確にするため地券を発行することにしたのである。売買が解禁された土地は農村の年貢地なので、「郡村地券」と称されるのである。

このように、明治五年には市街地券と郡村地券の二種類の壬申地券の発行が布告された。しかも、前者は無税の土地への新規課税、後者は年貢地の所有の確認と、それぞれ発行の目的は異なっていたのである。

3、租税改革と壬申地券

では何故、二種類の壬申地券が発行されることになったのだろうか。これを考えるためには大蔵省の租税改革構想を検討する必要がある。大蔵省の租税改革構想は、明治四年十月に大蔵大輔井上馨《いのうえかおる》と同少輔吉田清成《よしだきよなり》が連名で提出した、政府への回答に明確に表れている。

租税改革の理念は、近代国家に相応《ふさわ》しい租税制度の確立である。内国税改革の基本は、近代税制の原則である「上下均一・貧富公平」のもと、農民の重税を軽減し、印紙税や物品税などの新税（商税）で補填するというものである。「上下平均」は国民平等の課税、「貧富公平」は貧富に応じた課税ということである。

具体的な施行順序は、まず地所売買を解禁して地券を発行し沽券税を実施する。沽券の税であるから売買価格に課税するということである。土地課税は商税の収入高に応じて軽減するが、それにより生産の増殖を図り、百工を奨励していく。殖産興業である。殖産興業により諸物品が国内に充足すれば、次はそれを海外に輸出して海関税収入を増加させるのである。勿論、保護関税により輸出を促進し、無用な輸入品には重税を課すとされている。こうして、将来的に農税偏重を解消し、税制の平準を実現できるとしているのである。大蔵省の近代化の理念は明確である。ただ、政府財政を預かる大蔵省は、財政を確保しつつ租税の近代化を図らなければならず、改革は自ずと漸進《ぜんしん》的とならざるを得なかったのである。しかも、海関税改革は条約改正との関係で容易に着手できず、結局、租税改革は内国税改革が中心となるのである。

こうして見ると、壬申地券の発行は、大蔵省の近代化政策の一環であり、租税改革の第一歩だったことがわかる。

4、市街地券の発行

明治四年十月の政府伺いで大蔵省は、農税（年貢）だけで市井（都市）に地租を課税しないのは不公平であるとして、東京府から沽券税法を実施する。

土地課税の場合、課税の基準となる地価と税率の規定が必要になる。大蔵省が考えていたのは地価に一律に課税する方法で、当初の税率は一％であった。江戸の町人地の沽券状には、購入したときの沽券金高が記されている。しかし、それは町屋敷を購入したときの代金であり、一度も売買されたことがない土地も少なくない。そこで、地主に適当な沽券金高（時価）を申告させることにしたのである。適当というのは「いいかげん」という意味ではない。大体、沽券金高は町ご

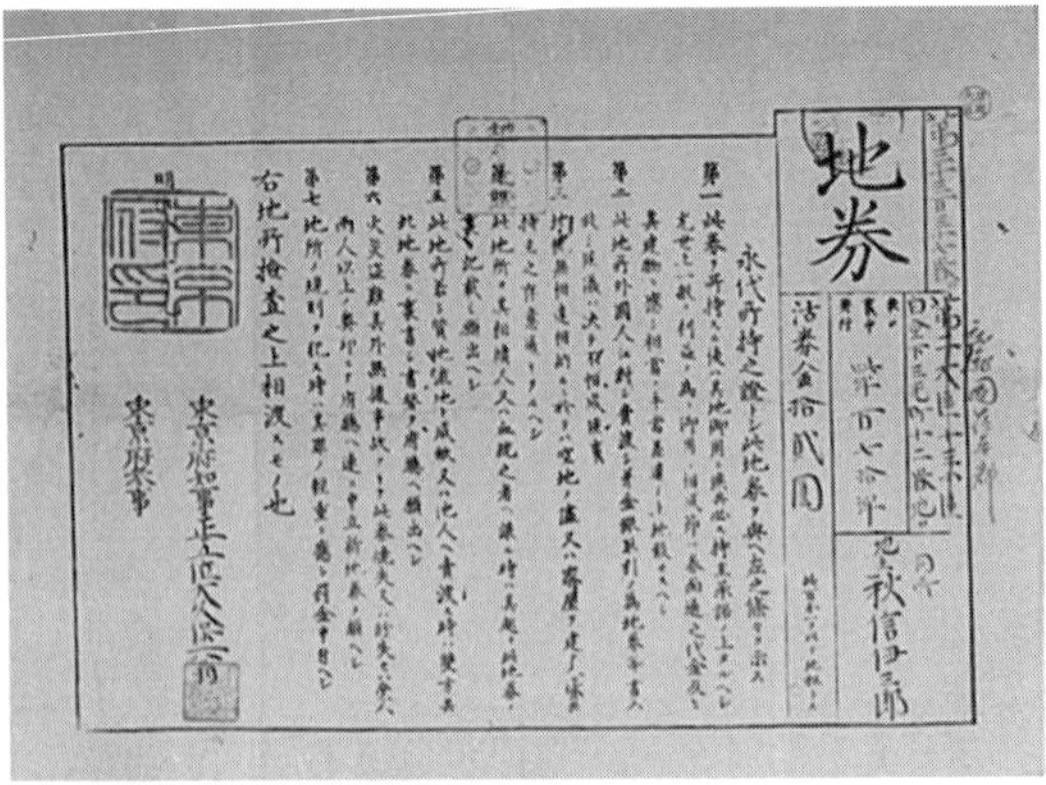
地券
沽券金拾弐円
永代所持之證トシ此地券ヲ與ヘ左之條々ヲ示ス
右地所檢查之上相渡スモノ也
東京府参事

図1　東京府の市街地券（東京都公文書館蔵）

とに調整されたようである。また、武家地は売買実績がなく、しかも広大なので、近隣の沽券地の十分一に低く設定された。なお、沽券税の税率は後に二％となり、再び一％に減額となった。こうして沽券税は、東京を皮切りに全国に実施されていくのである。土地税制改革（地租改正）が、農村ではなく大都市東京からスタートしたことは、意外と知られていない。

【図1】が、東京府の市街地券である。現在のところ、実物はこれ一枚しか確認されていない。貴重な市街地券である。地券と書かれ、所在と所有者、そして土地の寸法と坪数、沽券金高が記されている。沽券金高の下に、小さく「此《この》百分一ヲ以《へ》テ地租トス」と記されている。【図2】は青森県五戸町の市街地券である。五戸町は盛岡藩の五戸代官所が置かれていた町である。沽券税の対象となる市街地は、城下町や門前町、寺内町など全国に存在している。明治八年の調査では、市街地券が発行されて

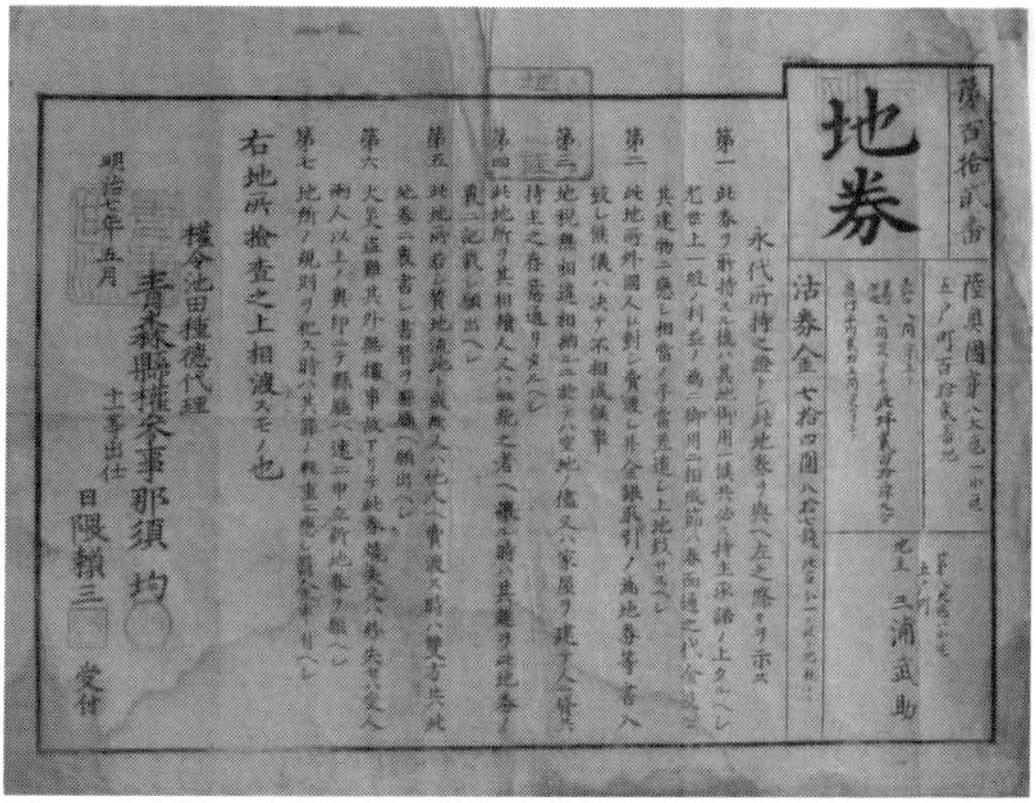

図２　青森県の市街地券（税務大学校租税史料室蔵）

いないのは、埼玉・長野・若松・磐井・岩手・相川の六県だけである。若松県（現在の福島・新潟県の一部）のように旧会津藩の城下町を含む地域に市街地券が発行されていない理由は、おそらく地域における明治維新と深い関係があると推測される。ちなみに、現在の府県の原型は明治九年の統廃合により出来上がるので、埼玉や長野など同じ県名でも管轄は異なっている。

その後、地租改正事業の本格化により、明治八年八月に沽券税の税率は三％に引き上げられる。そして、地租改正の竣功により市街地券は改正地券に書き換えられ廃棄されるのである。市街地券の確認数が少ない最大の要因は、書き換えによる廃棄である。特に、地価の高い東京などは地券の書き換えも厳密に行われたのではないだろうか。筆者が確認できた市街地券は、まだ数府県分に過ぎない。しかし、作成された史料は必ず後世に遺される。市街地券は、その存在そのものが知られていないの

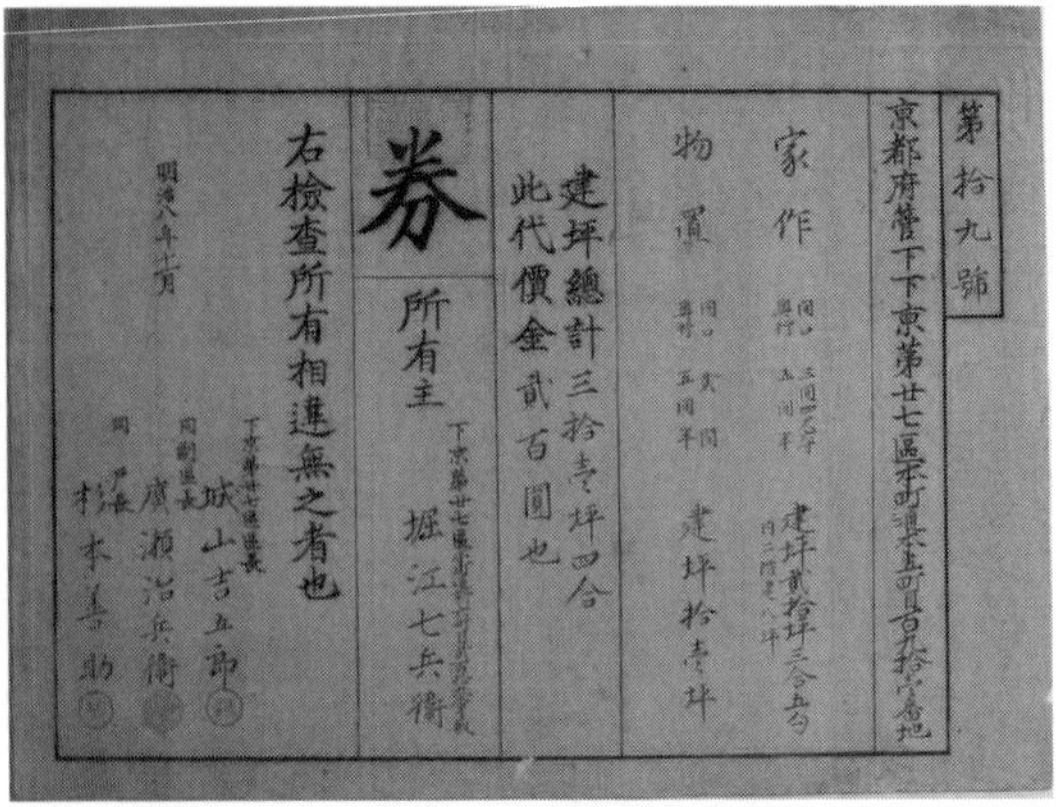
第拾九号
京都府管下下京第廿七区
家作　建坪貳拾坪三合五勺
物置　建坪拾壱坪
建坪総計三拾壱坪四合
此代価金貳百圓也
券
所有主　堀江七兵衛
右検査所有相違無之者也
明治八年十月
城山吉五郎
廣瀬治兵衛
杉本善助

図3　京都府の家券（税務大学校租税史料室蔵）

で、今後、発見される数は増加するであろう。後述する郡村地券の場合、近年の確認数は確実に増加しているのである。

なお、町人地への市街地券の発行に際して、京都府などの一部の府県では家券《かけん》が発行されている。もともと「町屋敷」というのは土地と建物が一体となったものである。そのため、土地に対する市街地券とは別に、建物に対する家券が必要とされたのである。【図3】は京都府の家券である。家券の発行は多重抵当などの不正防止が目的であったが、東京府では家券は不必要とされ発行されなかった。

5、郡村地券の発行

郡村地券の発行は、売買・譲渡による所有の確認が第一の目的であった。そのため土地の売買・譲渡証文を添えて郡村地券発行の申請がなされた。

しかし発行規則をみると、もう一つ目的があったことがわかる。それは土地の地代金の申告である。地代金は市街地の沽券金高と同じで、売買価格、すなわち土地の時価である。

郡村地券の発行規則は、明治五年二月に公布された。大蔵省の法律案には、そもそも皇国中古以降の税法は戦国の遺法であり、石高《こくだか》や貫高《かんだか》、検見法《けみほう》や定免法《じょうめんほう》などの旧来の土地課税法は適切ではなくなっていると記されている。大蔵省は武家政権のもとで不統一となっている土地課税を公平均一にするため、石高などの従来の課税基準を地代金（時価）に改正しようとしていたのである。

当初の郡村地券の発行対象は売買・譲渡地であったが、明治五年七月には年貢地すべてに拡大された。郡村地券は土地売買証文を添えて府県に申請する。土地売買証文には、土地の所在、地目、面積、高と地代金が記載され、売渡人と買受人、それに売買を証明する名主などの添書きが必要であった。証文の内容は、そのまま郡村地券に記載される。高は江戸時代の地価である石高で、地代金が時価である。

【図4】は熊谷《くまがや》県（現在の群馬・埼玉県の一部）の郡村地券である。地券面の「授与」の文字の上に押印してあるのが「地券之証」印で、大蔵省から府県に渡された、いわば政府の証明印である。上部の印は地券台帳との割印で、県令や県官の印も抹消されている。このように郡村地券は、改正地券への書き換えの際に印を抹消して廃棄されたのである。多くの郡村地券には、この抹消印がある。

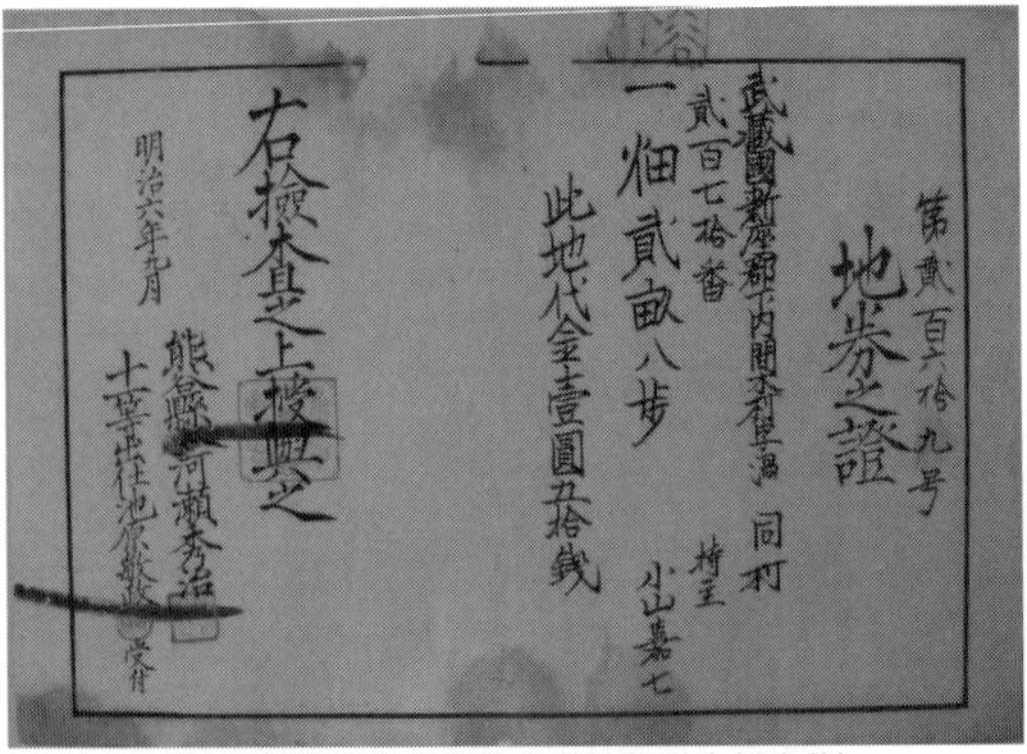
地券之證
貳百七拾番
一畑貳畝八歩
小山嘉七
此地代金壹圓五拾錢
右検査之上授與之
明治六年九月
熊谷縣

図４　熊谷県の郡村地券（税務大学校租税史料室蔵）

七月に郡村地券の対象が拡大されるが、大蔵省は、検地帳や名寄帳をもとに発行すればよいのだからと、十月までの発行完了を指示した。しかし、そう簡単には発行には至らなかった。検地帳がない村もある。また、土地所有の証明であるから、今まではそれほど問題ではなかった面積などもキチンと測量しておきたいとか、地代金をどの程度にするかなど、いろいろな問題も出てくる。そもそも土地調査といえば、次に来るのは増税が相場だとの政府不信もあった。郡村地券は、発行完了、一部を発行して中止、未発行の府県に分かれるが、その全体像を知ることができる史料は、今のところ見つかっていない。壬申地券の発行過程は、それぞれの地域により異なるのである。ただ、郡村地券の発行は地租改正法公布後も継続され、かなりの府県での発行が確認されている。なお、地番の加筆や発行のときのチェックの痕跡《こんせき》などが検地帳に残されている場合があるが、これは郡村地券発行のときのものである。

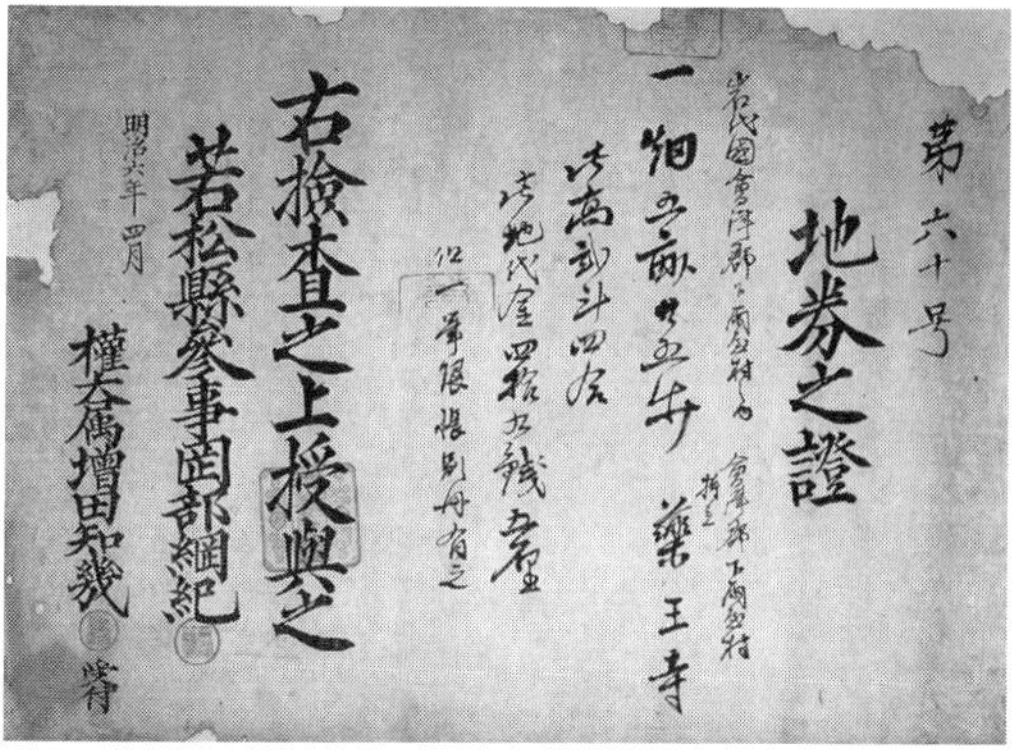

図５　若松県の郡村地券（税務大学校租税史料室蔵）

【図５】は、若松県の郡村地券である。地代金の後に「但《ただし》、一筆限帳別冊有之《これあり》」と記されており、割印がある。これは券面の反別や地代金は合計であり、その一筆ごとの内訳を記載した帳面を作成して割印しているのである。このような郡村地券だと、所有の確認よりも土地の地代金の把握のほうが目的になっているといってよい。

６、おわりに

市街地券と郡村地券という二種類の壬申地券は、わが国の租税の近代化における大きな第一歩を示すものであった。それは農民に偏重した税負担の解消を求めて、商税導入や殖産興業政策、海関税改革までを含めた漸進的、長期的なものであった。そして、その二歩目が地租改正事業になるのである。改正地券から地租改正を見ることも可能であるが、紙数が尽きたので、それは別の機会に譲りたい。

最後に、壬申地券と地方史研究について述べておきたい。

壬申地券は地域における史料調査では、ほとんど目にする機会はないように思う。筆者が最初に目にした壬申地券は、地租改正地引絵図の袋として再利用されたものであった。大量の壬申（郡村）地券が袋の裏から「発見」されたのである。史料の表題が、「袋」から「地券之証」に書き換えられたことは言うまでもない。土地の証明証なので大判で紙質も良く、透《す》かしが入っているものもある。袋や書類の表紙に再利用されることもあるので、注意が必要かもしれない。

　壬申地券は、地域史料として認識されにくいため、なかなか地方史研究とは結び付いていないのが現実であろう。しかし筆者は、地券を通して人文地理や地図の研究者、土地家屋調査士などの実務家、地券コレクターなど、さまざまな人たちの知見に接することで、地券を通した地方史研究の広がりを感じるようになった。地券という窓から、地域のどんな歴史が見えてくるのか。楽しみである。

参考文献

・牛米努「地券の発行について」（『租税史料館報』平成十五年度版、二〇〇四年）
・平成十五年度特別展示図録『地券の世界』（税務大学校租税史料館、二〇〇四年）
・牛米努「廃藩置県と租税改革」（『税大ジャーナル』三一、二〇二〇年）

これからの歴史教育のために

19

地域資料が歴史教育を今につなぐ
――中学・高校・大学・市民講座と地域資料――

藤野　敦

対象地域
東京
神奈川

1、学習者と時間・空間を結ぶ地域の歴史資料

生徒にとって歴史学習は、大人が思うほどたやすいものではない。そもそも、学ぶ対象の舞台や時期、つまり、時間、空間が共に生徒と遠い。そのような中で、地域の歴史、地域の資料は、過去のできごとと生徒が「空間」を共にすることで、同じ場所の同じ年表の延長上に過去と自分を乗せることができる。このような点から「身近な地域の歴史」はこれまでも歴史学習の入口として大切にされてきた。しかし近年は、歴史学習の「入口」のみならず、「出口」「ゴール」としても「地域」、「地域資料」の役割があらためて注目されている。

2、過去の人と対話する――高等学校　説明、論述の答えは一五〇年前の村役人に

ある時、生徒が問題集をもって質問に来てくれた。

生徒：「『世直しを標榜した騒動の社会的背景について述べよ』という問題なんですが、何を答えればいいのか、漠然としていてさっぱり……」
教員：「じゃあ、まず『世直し』を説明してみよう。どう？」
生徒：「『世直し』ってみんなで叫びながら一揆したやつでしょう？」
教員：「？？……」

教科書を開いてみると、その記述は……

「開国にともなう物価上昇や政局をめぐる抗争は、社会不安を増大させ世相を険悪にした。……農民の一揆でも世直しがさけばれ（**世直し一揆**）、……」。まあ、事例によっては間違いとは言えないが……、しかし、教科書の文面のみでの学習の限界である。

さて、過去の事象にリアリティーを与え、かつ生徒が根拠をもった歴史の考察を可能とするために何が必要なのだろうか。そこで、武州多摩郡内藤《ないとう》新田（現在の東京都国分寺市の一部）百姓惣代・神山平左衛門《こうやまへいざえもん》の残した文書を活用し、「幕末の社会状況」の学習を計画した。本資料は平左衛門が、主に元治、慶応、明治初期の御用留《ごようどめ》等に、当時の回顧を解説として加えつつ、「むさし野の涙」と名付けて明治十八年に編纂したものである（『武蔵野市史　続資料編　二』所収）。ここに描かれる慶応二年（一八六六）六月に発生した「武州世直し一揆」は、武州一五郡・上州一郡一〇数万人が参加した騒動である。家数合わせて五百数十件を破壊し、ところによっては諸国太平の高張《たかはり》提灯《ちょうちん》を掲げて世直しを標榜した。

「むさし野の涙」では、村役人の視点から騒動の推移が記録されている。「所沢《ところざわ》村より自分（平左衛門）の方へ来た情報では、『所沢には昨日乱入した。そちらの方へ一揆勢が乱入するという風聞かあるので知らせた』というものであった。……また砂川村丸山へ押し寄せたという噂があり、一同は恐れを抱いた。その夕六つ時に見届けにやった者が帰り、一揆勢はまた日置川を越えたらしいというので少々安心したが、その夜は警護を固め、村一同竹槍を拵えそろえ、合図の用意に双半鐘《そうばんしょう》を支度し、黄色の端切れをつけて終夜の身支度をして過ごした。（慶応二年六月）十六日朝三名をつれて各地の状況を見ようと粂川《くめがわ》村辺りにいったところ、暴民がその村へ押し入る仕度を申し合わせて朝食を取っているのを見て驚いて飛び帰り、村人へその様子を伝えて一同肝をつぶし恐怖を感じているところへ、二カ所の偵察の者が帰り、柳窪《やなぎくぼ》村築地《つきじ》河原で散乱したことを告げたので一同安堵した」。

このように、この資料では、各地の村役人層が頻繁な情報連絡・対策への連携をおこない、また銘々が多方面に偵察を送ったり、自らも足を運んだりするなど情報収集の努力をおこなっていること、筆者がこの騒動参加者を「暴民」と記していることなど、興味深い記述が示されている。

さて、高等学校の日本史の学習では、開港後の経済混乱、政治過程などに続き、ええじゃないかの乱舞やお蔭参《かげまい》りを含めた幕末の社会状況について学習する。ここではその単元のまとめとして、先ほどの生徒の持参した「世直しを標榜した騒動の社会的背景について」という問いを、学習課題として考察することとした。生徒たちは、教科書や副教材などから手掛かりを探し、相互に説明を試みるが、そこに示された文言以上の説明になかなか至らない。考察の「よりどころ」がないのである。さて、授業によっては、ここで教員が「模範」解答なるものを提示し解説して終えることがある。しかし、それは、「模範」解答の文言を、来るべき試験の会場で再生するよう生徒に求めるだけのことである。社会的背景を生徒自身が考察する機会を与えず学習を終えてしまうことになる。

　そこで、「今日は当事者に答えてもらいましょう」ということにした。「当事者?・」「誰かの子孫?・」「再現Ｖか」、などという生徒の反応を耳にしつつ、神山平左衛門の記した資料を示す。資料には武州一揆の背景について、平左衛門自身の分析が示されている。

　元治元年の頃より慶応二年に至り諸物価追々夥《おびただ》しく高直《こうじき》に相成り、江戸・横濱にては両《りょう》（金一両―引用者注）に白米八升《しょう》、当地は銭百文《もん》に壱合《いちごう》七八夕《ママ》（勺）、生糸は両に三拾匁《さんじゅうもんめ》位へ諸色皆《しょしきみな》是《これ》に等し、去《さ》れ共《ども》作物は先七八分位には実り候、近年追々高直に相成候に付き、人々田畑へ桑苗を植えること夥しき、其上桑木を一切に致し、糠《ぬか》・灰或いは〆粕《しめかす》などを肥に致し、養蚕のみを家業のように思ひ、農業を怠り万事《ばんじ》蚕を当《あて》に致し居候處、同寅年皆無の違昨《いさく》(作)に付、金融差し支え、其上《そのうえ》夫喰《ふじき》に不足致し、一同活路を失ひ妻子を養い兼《かね》しより、関東国々所々の窮民一同蜂起致し候。

（神山平左衛門『むさし野の涙』）

資料前半では、当時の農民が認識していたインフレーションの状況が示されている。生徒たちは、これまでの学習を踏まえ、開港による諸物価の高騰、さらに慶応期の長州戦争に起因するインフレーションなどを想起しつつ考察することができる。

資料後半は開港による経済構造の変化の地域産業への影響が示されている。学校の歴史教育は当然ながら古文書演習でも古文読解でもない。資料を、現代語訳にどの程度近づけた教材とするか、それは目の前の生徒の状況と学習のねらいに応じて教師が考えることである。今回は社会状況の背景の考察がねらいであることを鑑み、以下のような文面にして印刷、配布した。

近年、だんだん（生糸が）高値になってきたので、人々は田畑へ桑苗を植えることがおびただしく、さらに桑木ばかりを植えて、糠・灰あるいは〆粕を肥料として、養蚕のみを家業のように思い農業を怠り、万事、蚕をあてにしていたところ、慶応二年皆無の違作（不作）になり、金融差し支え、その上夫食《ふじき》（食べ物）に不足し、一同活路を失い、妻子を養いきれなくなった……。

横浜への生糸流通経路につながる多摩地域から北関東への村々は、開国によって養蚕への依存度を高めた結果、生糸の現金収入と肥料などの購入などにより一層貨幣《かへい》経済に巻き込まれ、凶作や価格変動に対する抵抗力を弱めていた。

生徒は、一五〇年前に書き残された当時のこの地域の人の「声」から、「なぜ生糸は高値に？」「糠・灰・〆粕って何？　それを使う影響は？」などと相互に問いを重ねつつ、既習の知識を結び付けて、当時の地域の変容の背景について考察を深める。それよりも、生徒の驚きは「なんでニュースもないのに、村にいる人に世の中が見えてるのだろう」「平左衛門さん、経済のこと、すごい分かってる」など、過去の社会への関心、既存のイメージの捉えなおしなどが見られた。さらに、「地理で出てきたことと似てる」「モノカルチャーと飢餓《きが》の話」「現代社会の授業でもやった」など、他教科、他科目の学習で身に付けた概念的な知識と結び付けて、一歩踏み込んだ理解を示す発言も生まれた。彼らはグローバルな現代社会の課題と、ローカルな歴史の社会状況を結び付けつつ、考察を深めていることが考えられる。あとはそれぞれの言葉でしっかりまとめれば学習課題は完成である。そして一五〇年の時を経て、神山平左衛門はこの学校の生徒だれもが知る有名人となった。

3、過去の人々と出会う　「未来に何を残せるだろう」——中学校での「地域史レポート」

夏休み、中学二年生、恒例の「地域史レポート」の宿題。「自分の家から学校までの間のどこか」という条件で課題を出していた。ただし、「必ず人にインタビューをすること」としている。単なる「調べ学習」が目的ではない。書籍やインターネットの記載を「書写」したり、「切り貼り」したりしても評価されない。「地域という空間で歴史と向き合う機会を設定すること」と、「調査の過程の体験」がねらいである。従って、「自分の行動に沿って日記帳のように書く」ことを推奨する。訪問先へのアポイントメントの取り方、地域の公共施設（図書館・公文書館・文書館・地域資料館・博物館・地区センターなど）の利用と、そこで「してはいけない質問」の例（「宿題でなんか調べろといわれたんですけど、何がいいですか?」）など、多岐にわたる「調査の儀礼」の事前指導も含まれる。生徒にとっては「社会」と接する経験でもある。

作成された生徒作品は多様なものであった。家にある「凧」からスタートした町田市小山田の歴史、町中の旧跡の調査、古墳の調査と保存についての疑問、鉄道開通による街並みの変化、道端の常夜灯から旧街道と宿場のレポートなど、多岐にわたる追究がおこなわれた（【表】参照）。中には、荏田《えだ》宿（横浜市青葉区）の調査から「古そうな大きなお家」に訪問し、「大学の先生に見せると持ってかれてしまうから見せないんだけど、あなたたちには見せてあげよう」などと、未公開

表　レポートの内容（例）

町田市小山田の歴史。家にある「凧」に描かれた「小山田太郎」の絵から、自分の住む地の地名と同じ名字のこの一族の歴史をたどって、戦国時代に、現在の山梨県で勢力を持っていた小山田一族の城が町田にあったことをつきとめていった。調査にきていた山梨の研究会のみなさんとの出会いなど、大きく展開を示す。
長津田の歴史を中心にレポート。旧跡・寺社を全て調査し、菩提寺から領主岡野氏の調査、戦没者の慰霊塔など、特に長津田の江戸〜明治〜大正〜昭和の変遷を追跡した。
大和市の多くの古墳をめぐり、一方でそれらの遺跡の保存状況について疑問も示す。加えて歴史をたどる内に、近世では宿場町として発達した歴史にもふれ、実際の町並みを見ながら過去と現在の接点を探し出す。
田奈近辺の歴史の移り変わりからスタートし、近年まで農村地であったこの周辺が田園都市線の開通によってどのように変化していったのか、実際に開通以前からこの地に住まれている方を訪問して取材。
（その他） ・田園都市線沿線の古墳めぐり　・旧陸軍登戸研究所の研究 ・近所の琴平神社の研究　・長津田乾繭所と町の移り変わり ・地域の研究から諏訪一族の研究へ発展　・三軒茶屋大山道道標から景観の変遷 ・狛江の古墳からその保存と開発考察　・目黒区碑文谷の法華寺などの歴史 ・徳川将軍正室お化粧領の研究へ発展　・多摩川流域の古墳群の調査 ・大和市に伝わる言い伝えなどを集めて町の歴史を考える　など

の文書を見せていただいた生徒もいた。レポートに貼付してあった古文書の写真を読むと、「源義家《みなもとのよしいえ》公が東北遠征に際して立ち寄り、娘との間に生まれたものが先祖である」という、近世に作成された「由緒書」であった。内容を聞いた生徒は「ドラマチック！」と感動しつつも次第に、「本当かなあ、ちょっとねえ」と、しっかりとクリティカルに資料を考える姿勢？　もみられた。

　これらの調査レポートの出来栄えは、教室での学習や、定期テストなどで測る評価とは全く別の様相を示す。

「過去の人たちは僕たちにたくさんのものを残してくれた。僕らは未来の人たちに何を残せるのだろう」。一人の生徒のレポートの結びの言葉である。学校教育における歴史学習の意味を考えさせてくれた。レポートを通じて、過去の人々と出会うことで、同じ空間に生きる現在の自分を相対化しつつ、考察を深めてくれたのであろう。

4、過去と今を重ねる、自らの生き方を過去と重ねる――大学や生涯教育の場で

歴史を専修・専攻する学生でも、過去と重ねた視点を働かせて生活空間を見つめる機会は必ずしも多くない。教員養成系の大学で、学生に大学近隣の近世の用水網の跡を班ごとに手分けをして古文書、古地図を手に、地元の方からのレクチャーなどを交えて調査し、後日、他班と共有し合う学習（全一五単位時間中二単位時間を配置）を実施した。以下はその際の学生の感想の一部である。「土地の区画が江戸時代のまま」「過去の上に今があり、僕らが暮らしている」「歴史的な視点の芽生えを自覚する」「家の裏にあるものが用水跡であることに気づいた。実際に見ないと分からない新たな視点を発見できる」「ある地域を調べるとき、視点はいくつもあり、

地域の日常の景観の中に用水路跡をたどる（2018年4月、筆者撮影）

一つの視点を深く掘り下げると見えてくるものがある」「昔と今の姿が少しでも『見える』ようになった」。地域の歴史的景観及び資料は、時間軸の中で現在を考察する視点に気付かせてくれる。

また、公民館で開催される市民講座などでは、地域の資料や歴史的経緯を、受講者が自らの経験と重ねて、当時の人々の営みに共感しつつ捉える感想が目につく。以下は、近世から近代移行期の「御用留」を活用し、玉川上水の取水工事やそれに伴う村の負担、費用の割り当てなどを読み込んでいた際の参加者の感想である。「その工法の基本は現代と同じ。数百年前の人の仕事と私のしてきた仕事と、大して変わらない」（元建設会社勤務）、「割り当ての公平性への気配り、村役人は大変だ」（元新聞記者）。時代を隔てつつも、同じ空間の中で日常を営む人々の視点で示されている地域の資料、地域の歴史であるがゆえに生じる共感なのであろう。

5、「地域」からグローバルに、そして再び「地域」へ――新学習指導要領の歴史学習

令和二年度から四年度にかけて、それぞれ小、中、高等学校の順に新しい学習指導要領の下での学習が始まる。今回の改訂では、例えば中学校歴史的分野ではその導入の「歴史との対話」の「身近な地域の歴史」で「身近な地域の歴史的な特徴を多面的・多角的に考察し、表現すること」が示されている。また、高等学校の全ての生徒が履修する新科目「歴史総合」では、やはりその導入「歴史の扉」の「歴史と私たち」において、「私たちの生活や身近な地域などに見られる諸

事象を基に、それらが日本や日本周辺の地域及び世界の歴史とつながっていることを理解すること」と示されている。その履修後選択が可能となるのが「探究」科目（「日本史探究」「世界史探究」）である。そのうち「日本史探究」の最後の項目は「近現代の地域・日本と世界」である。その表題の通り、ここでは近現代の歴史を「地域と日本、世界との関係性などを整理して構造的に理解」し、その上で「現代の日本の諸課題」について、歴史的経緯や根拠を踏まえて構想することが求められている。このように「歴史総合」から「日本史探究」を結ぶと、地域からスタートしてその視野を広げ、日本、世界の歴史の動きとのかかわりから再び地域社会の歴史の変化を見つめるという学習の構造となる。

「我が国には歴史を考察する上で有用かつ多様な資料が数多く存在する。これらの資料そのものが、様々な災害や時代の諸状況の中で多くの人々の努力によって伝えられ、社会の在り様やその教訓など、現代及び未来についての多くの示唆にあふれた国民共有の財産となっている。これらを効果的に活用する技能を獲得し、学校教育及び生涯にわたる学習において活用することは、生徒がこの後、現代の日本の課題について考察、構想する際に、叡智の継承として作用することとなる」（学習指導要領〈平成三十年告示〉解説　地理歴史編「日本史探究」科目の性格より）。

地域資料の役割にも新たな注目が集まっている。地域の歴史の「物知り」ではなく、地域の歴史を題材として、日本や世界の歴史と比較したり関連付けたりしてすることで、生徒が現代社会やその先の指針について考察できるような学習、その学習に活用できる資料集などの開発も待たれている。

参考文献
・藤野敦「学校教育における地域史課題の現状と課題」（『地方史研究』第三〇〇号、二〇〇二年）
・藤野敦「武州世直し一揆と開国後の村々」（街道の日本史18『多摩と甲州道中』吉川弘文館、二〇〇三年）
・藤野敦「世直し」（『新編　史料でたどる日本史事典』東京堂出版、二〇一二年）
・藤野敦「能動的・協働的な授業方法をどのように学修するのか―教員養成での一実践―」（『中等社会科教育研究』三四号、二〇一五年）
・藤野敦「高等学校歴史領域科目の目指す学習」（『日本歴史学協会年報』第三五号、二〇二〇年）
・『中学校学習指導要領（平成二十九年告示）解説　社会編』（文部科学省、二〇一八年）
・『高等学校学習指導要領（平成三十年告示）解説　地理歴史編』（文部科学省、二〇一九年）

※なお、学習の場において「資料」とは、いわゆる「史料」を含め、統計や図版、映像など幅広い学習教材を表すことから、本稿では「資料」と示している。

あとがき

読者の皆さまに、シリーズ本『地方史はおもしろい』第二冊をお届けいたします。本書には、地域に所在する資料をもとに、歴史を調べたくなるような仕掛けが随所にちりばめられています。ぜひキャッチしていただきたい、そう願いを込めてこの本をお届けします。

執筆者の皆さまには、地域の資料に向き合う醍醐味をお書きいただきました。限られた紙面、かつ短い期間で執筆と校正にご協力いただき、ずいぶんとご無理も申し上げました。時間が無くても、時間を作り出す凄さも一九名の皆さまから今回教わったように思います。

序文にあたる「地域資料と出会うために―本書の歩き方」は、当会会長廣瀬良弘が執筆し、第一冊めに引き続き、企画から編集にかかわったのは、企画・総務のメンバーです（生駒哲郎・川上真理・高木謙一・富澤達三・鍋本由徳・芳賀和樹・萩谷良太・渡辺嘉之）。惜しみない協力態勢のなかで本書も出来上がりました。

色々な方々の協力を得て、お陰さまで刊行となりました。とくに文学通信の岡田圭介さん・西内友美さんには、かわらぬ絶大なご協力をいただき、そのセンスのよさに、第二冊も支えられています。今後も本シリーズのバトンを繋いでいくことで、感謝の気持ちを伝えたいと思います。

（地方史研究協議会　常任委員会　企画・総務を代表して、大嶌聖子）

執筆者紹介

宇野日出生（うの　ひでお）一九五五年生　京都市歴史資料館
　主要業績　『八瀬童子 歴史と文化』（思文閣出版、二〇〇七年）
福家清司（ふけ　きよし）一九五〇年生　公益財団法人徳島県埋蔵文化財センター
　主要業績　「中世後期の阿波国「大麻宮」と地域社会」（徳島地方史研究会『史窓』第四八号、二〇一八年）
斉藤　進（さいとう　すすむ）一九五七年生　煉瓦研究ネットワーク関東
　主要業績　「東京における煉瓦と考古学」（『月刊　考古学ジャーナル』第六六四号、二〇一四年）
斉藤照徳（さいとう　あきのり）一九八二年生　公益財団法人江東区文化コミュニティ財団
　主要業績　「明治期江東区域の煉瓦製造業」（『江東区文化財研究紀要』第一九号、二〇一六年）
乾　賢太郎（いぬい　けんたろう）一九七九年生　大田区立郷土博物館
　主要業績　「高尾山の信仰組織―高尾山分霊院を中心として―」（松崎憲三・山田直巳編『霊山信仰の地域的展開―死者供養の山と都市近郊の霊山』岩田書院、二〇一八年）
寺門雄一（てらかど　ゆういち）一九五八年生　品川区教育委員会
　主要業績　編・著『品川区史二〇一四』（品川区、二〇一四年）
中村陽平（なかむら　ようへい）一九八二年生　埼玉県立歴史と民俗の博物館
　主要業績　「御朱印地配分からみる近世鎌倉寺社領の成立と構造」（中野達哉編『鎌倉寺社の近世』岩田書院、二〇一七年）
山下真一（やました　しんいち）一九六四年生　都城市 都城島津邸
　主要業績　「近世領主家の地誌編纂と地域社会」（北村行遠編『近世の宗教と地域社会』岩田書院、二〇一八年）
今野　章（こんの　あきら）一九六八年生　鶴岡市郷土資料館
　主要業績　「戊辰戦争における新徴組・新整組」（『山形県地域史研究』第四三号　二〇一八年）
宮間純一（みやま　じゅんいち）一九八二年生　中央大学文学部

主要業績　『戊辰内乱期の社会—佐幕と勤王のあいだ—』（思文閣出版、二〇一五年）

谷口　榮（たにぐち　さかえ）一九六一年生　葛飾区産業観光部観光課
主要業績　『東京下町の開発と景観』古代編・中世編（雄山閣、二〇一八年）

佐藤　慎（さとう　まこと）一九七六年生　妙高市教育委員会
主要業績　「神仏に守られた戦国の山城」（妙高市教育委員会編『斐太歴史の里の文化史—鎮守の森の文化財と斐太神社を訪ねて—』二〇一四年）

石田文一（いしだ　ふみかず）一九六二年生　石川県立図書館 史料編さん室
主要業績　「戦国期の加賀国白山本宮荘厳講と在地社会」（東四柳史明編『地域社会の文化と史料』同成社、二〇一七年）

桑原功一（くわばら　こういち）一九六九年生　公益財団法人渋沢栄一記念財団渋沢史料館
主要業績　「享保改革期における幕府大筒役の創設」（『日本歴史』第七四一号、二〇一〇年）

西村　健（にしむら　たける）一九七九年生　横浜都市発展記念館
主要業績　「戦後横浜の社会福祉事業—引揚者、浮浪児・戦争孤児・『混血孤児』の保護を中心として—」（『横浜都市発展記念館紀要』第一二号、二〇一六年）

久信田喜一（くしだ　きいち）一九五〇年生　茨城地方史研究会
主要業績　「古代の茨城—地域と歴史—①〜⑩」（『常陽芸文』三五三〜三六四、二〇一二〜一三年）

佐藤孝之（さとう　たかゆき）一九五四年生　東京大学名誉教授
主要業績　『近世駆込寺と紛争解決』（吉川弘文館、二〇一九年）

牛米　努（うしごめ　つとむ）一九五六年生　明治大学
主要業績　『近代国家の課税と徴収』（有志舎、二〇一七年）

藤野　敦（ふじの　あつし）一九六六年生　文部科学省初等中等教育局
主要業績　『東京都の誕生』（歴史文化ライブラリー一三五、吉川弘文館、二〇〇二年）

シリーズ刊行にあたって

地方史研究協議会　会長　廣瀬良弘

地方史研究協議会は、二〇二〇年に創立七〇周年を迎える。これを期して書籍刊行の企画が検討された。全国各地で保存されてきた地域の資史料を学術的にアピールするための企画である。

日本全国の文化財は、国の指定文化財として国宝・重要文化財があり、都道府県の指定文化財もあり、さらに市区町村の指定文化財もある。このうち都道府県や市区町村の指定文化財は、各自治体が地域にとって重要であると考える資史料を指定文化財として保存・公開している。しかしながら、自治体が指定した文化財をその自治体以外の人々が知る機会はそう多くはない。全国の博物館やその他の保存機関などには、限られた研究者のみしか利用されてこなかった資史料も存在している。

これまで全国の文化財行政に携わる人々や研究を志す人々などによって、資史料の調査や保存活動が地道に行われ続けてきた。そうした人々の努力により、今後も将来にわたり、歴史的に価値のある資史料が保存・公開され続けていく。一方で近年、地震や台風、火災などで地域の資史料が被災し、損失している。地域の資史料の地道な保存活動は、多くの人々の理解があってこそ成立する。そのためには、地域の資史料のもつ情報の凄さを広く知ってもらいたいと考える。

本企画は、知名度はかならずしも高くないものの、地域を考えるうえで重要な資史料に焦点をあてて、学術的なその面白さを広めるシリーズ企画である。題して『地方史はおもしろい』である。それらの資史料が地域の歴史のなかでどのような意味を持っているのか。また、それらの資史料からどのような人々の営みやさまざまな情報を読み取ることができるのか。地域で保存され、伝えられてきた資史料をもとに地域の歴史にスポットをあてていく。

ぜひ多くの方々に本シリーズの各書をお手に取って、地域の歴史のおもしろさを身近に感じていただきたい。

地方史研究協議会

地方史研究協議会は、各地の地方史研究者および研究団体相互間の連絡を密にし、日本史研究の基礎である地方史研究を推進することを目的とした学会です。1950年に発足し、現在会員数は1,400名余、会長・監事・評議員・委員・常任委員をもって委員会を構成し、会を運営しています。発足当初から、毎年一回、全国各地の研究会・研究者と密接な連絡のもとに大会を開催しています。また、1951年3月、会誌『地方史研究』第1号を発行し、現在も着実に刊行を続けています（年6冊、隔月刊）。

◆入会を希望される方は、下記QRコードよりお申し込みください。

〒111-0032
東京都台東区浅草5-33-1-2F
地方史研究協議会事務局
FAX　03-6802-4129
URL：http://chihoshi.jp/

シリーズ●地方史はおもしろい 02

日本の歴史を原点から探る

地域資料との出会い

編者　地方史研究協議会

2020（令和2）年10月24日　第1版第1刷発行

ISBN978-4-909658-40-1　C0221 ©著作権は各執筆者にあります

発行所　株式会社 **文学通信**

〒170-0002　東京都豊島区巣鴨1-35-6-201
電話 03-5939-9027　Fax 03-5939-9094
メール info@bungaku-report.com
ウェブ http://bungaku-report.com

発行人　岡田圭介

印刷・製本　モリモト印刷

ご意見・ご感想はこちらからも送れます。上記のQRコードを読み取ってください。

※乱丁・落丁本はお取り替えいたしますので、ご一報ください。
書影は自由にお使いください。

文学通信の本

☞全国の書店でご注文いただけます

地方史研究協議会［編］

『日本の歴史を解きほぐす 地域資料からの探求』

Series＝地方史はおもしろい 01

地域資料から日本の歴史を読み解くと、さらに歴史がおもしろくなり、現代社会もその先に見えてきます。本書は、各地域に残された資料や歴史的な事柄を通して、住まいの地域や日本の将来を考える手がかりにするべく、それぞれの資料に向き合ってきた新進の研究者が、歴史の読み解き方をふんだんに伝える書。知名度はかならずしも高くないものの、地域を考えるうえで重要な資史料に焦点をあてて、学術的なその面白さを広めていきます。

ISBN978-4-909658-28-9 ｜新書判・並製・272 頁
定価：本体 1,500 円（税別）｜ 2020.04 月刊

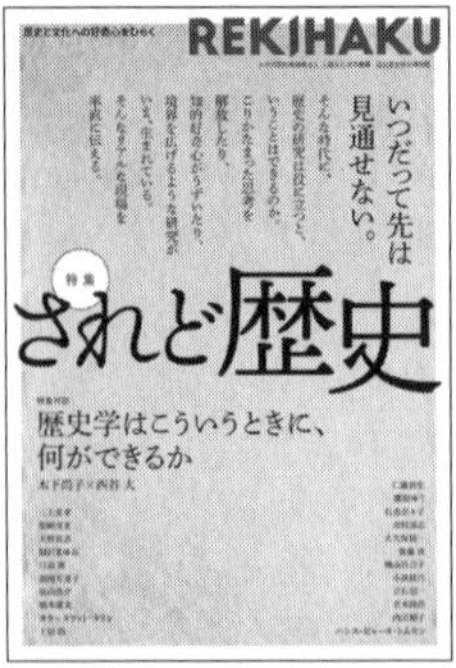

国立歴史民俗博物館・
山田慎也・内田順子・橋本雄太［編］

『REKIHAKU 特集・されど歴史』

歴史と文化への好奇心をひらく『REKIHAKU』、遂に創刊！　いまという時代を生きるのに必要な、最先端でおもしろい歴史と文化に関する研究の成果をわかりやすく伝えます。
特集は「されど歴史」。先を見通せないこんな時代に、歴史の研究は役に立つということはできるのか。そんな問いをよそに、こりかたまった思考を解放したり、知的好奇心がうずいたり、境界を広げるような研究が日々生まれている。立ち位置をかえ、ものごとを注意深く観察することで、新たな光を見つけようとする、そんな研究のリアルな現場を、率直に伝えます。

ISBN978-4-909658-38-8
A5 判・並製・112 頁・フルカラー
定価：本体 1,091 円（税別）｜ 2020.10 月刊